図解 超高速勉強法

THE ADVANCED
SUPEHIGH
SPEED
LEARNING

「速さ」は「努力」にまさる！

椋木修三
MUKUNOKI OSAMI

経済界

はじめに

私は基本的に勉強が嫌いです。

ですが、嫌でも勉強をしなければならないことが多々あります。

そこで私は横着なことを考えます。「嫌いな勉強をラクにできないか」「もっと効率よくできないか」「何とか早く終えたい」と。

失礼ながら、みなさんもそうではないでしょうか。本書は、私と同じような人たちのために、長年蓄積してきた勉強術、記憶術、速読術などのエッセンスを、ぎっしりと詰め込んだものです。

私は実際に、速読術や自己暗示法などを、多くのかたに教えています。その方面では、指導のプロフェッショナルだと自負しています。

また、何年か前、テレビの人気番組に「記憶の達人」として立て続けに出演したことがあります。私は「記憶の凡人」にすぎませんが、テレビで人を驚かせるくらいの記憶術を努力と工夫で身につけた経験は、みなさんのお役にも立つと思います。

さらに私は、「試験に合格したい」「資格をとりたい」という人の相談をよく受けます。

「何を、どれだけ、何日で?」と聞くと、「三カ月しかありません」とムチャを言ったり、カバンいっぱいのテキストを広げて驚かせたりする人が大半です。私はそんな困難の中でのベストな勉強法を、相手と一緒に考えます。試験は要領です。合格するには合格する勉強のしかたがあります。それを、一人一人の条件に合わせてつくり上げてきました。その実践ノートにも、たくさんのヒントが記されています。

私は、個別の「勉強」を教える力はありません。しかし、「勉強のしかた」はお教えできると思うのです。

そして、学校や会社の研修ではなかなか教わらない「勉強のしかた」こそが、勉強をラクに、効率よく進めて成果を高める最大要因なのです。

企業や社会のあらゆる場所で、能力のあるなしの差別化がどんどん進んでいます。勝ち組、負け組の区別が鮮明になっています。

能力で人を区分したり、勝ち負けで人生を決める風潮を、私は好きではありません。けれど、それが現実なのですから、やるしかありません。

本書がみなさんのスキルアップに少しでもお役に立てばと願っております。

椋木《むくのき》 修三《おさみ》

目次

＊

【図解】超高速勉強法

はじめに　1

1章
「あせり」をうまく使え！
――集中力が自然に増強するテクニック

「成功暗示」から始めよう　14
「必死の力」を掘り出せ　14
「口ぐせ」を改めるのも勉強のうち！　17
「暗示がきかない」と思い込んでいる人に　21
集中できないのはイメージがあいまいだから　25
怠け心を封じ込める　28
「あれこれ」より「まずこれ」を選ぼう　28
「勉強となると気がゆるむ」のはなぜ？　32
強い締切力と弱い締切力　34

「すぐ飽きる自分」を補填《ほてん》する　38
「無力な努力」をなくしていく　41
「努力逆転現象」を抜け出せ　41
「ながら」のうまい活用法　44
まじめな努力家が理想とは限らない　46
「挫折」対処術　49
集中力の疲れをこまめにとる　51
たとえば机に「何か」を置くだけで……　51
部屋を整理することで気持ちも整理される　52
「うるさいなあ」を逆用する　54

2章 「長時間」の損に気づこう
――常に良質な勉強時間を保つコツ

終わらなくても定刻でやめる　58

時間の有無は気力の有無に比例する　58
「長い時間」より「多くの時間」を見つけよう　61
「限界」は挑戦目標でなく調整目安　62
勉強では「専念」は「漫然」に堕《だ》しやすい　65
「やらねば！」より「やめたら？」で発想しよう　68
時間をさらに多面的に使うために　70

「みんなも」発想を嫌え　74

チャンスは「人と違う」ことにある　74
わからない時は進むか？　止まるか？　77
「闘志満々」の落とし穴　80
計画倒れになりがちな人の共通点　82

準備に時間を使うことで時間を増やす　85

「早める」と「あわてる」を間違えるな　85
記憶術とは情報整理術　88
「道具」の使い方　92

3章 「平均点」は上げなくていい！

――自信一つで合格力は十分に高まる

「自信をつける」を指針にする 96
得意と不得意をまず線引きする 96
「アメ」をはじめになめるか、あとにするか 98
「順を追って」がベストではない 101
「完全」のレベルを少し下げよう 105
頭が固くなったと誤解している人に 109
力量は頭より心についていく 109
好奇心を広げるために学ぶ 111
頭脳の眠りを覚ます 112
心に巣食う「勉強嫌い」をどうするか 115
勉強に「快楽システム」を組み込もう 116

小さな積立が大利息をもたらす　118

「瞬間理解力」を深めよう　122

イメージできれば理解ができる　122

「一見ムダなこと」を軽視しない　124

「新聞コラム」トレーニング　126

4章 「目次」を暗記せよ

——データは形さえ整えば大量におぼえられる

教科書より問題集が記憶には効く　130

記憶力を増強する四つの絶対法則　130

大敵は「ダメ」という思い込み　134

「あとは機械的にやるだけ」にする　136

「必要」は「十分」にまさる　138

「逆に考える」ことで回路が太くなる　141

濃い鉛筆がなぜ記憶を濃密にするのか 141
記憶には「カワラ屋」より「ペンキ屋」が有利 142
問題集の簡単五回反復法 144
最小努力を最大に生かすには？ 147
おぼえにくいものをおぼえる法 150
失敗を生かそう 150
「消しゴム」に要注意！ 152
意味のないことに意味づけする 154
「宮本武蔵式」記憶術 156
「語呂合わせ記憶」これで完璧 158

5章 「わからないまま」を恐れるな
——速読術を訓練なしで身につける法

自分を「多読家」につくり変える 164

「重箱の隅」に成功はない 164
「そのうちわかる」が速読の基本 166
「じっくり」は凡才の言いわけ 169
速読術の三大鉄則 171
「心がけ」を変えるだけでいい 173
早く理解するには早く図解せよ 176
速度を上げて理解度を下げないために 180
読む速度と理解度は比例するか 180
「くり返し」はいいが「時間延長」はいけない 182
内容把握と速読を両立させる法 184
速く「目をつける」トレーニング 186
マーカーペン「超」効率読書法 188
試験の「ヘソ」をズバリ押さえる 190
常に「いいスピード」を保つ 193
「視読法」のすすめ 193
「ああ、今日はもう……」という日の勉強法 194

速さはあなたの何を変えるか　196
「遅れる恐怖」を完全に除こう　198

6章 頭はリラックスでより強くなる

――疲れない頭になる意外な生活習慣

「要領力」をつけよう　204
「迷う人」は本番に必ず弱い　204
「単純なくり返し」にどう耐えるか　206
シンプルさは力である　208
体調を整えることで脳という臓器を整える　211
「ど忘れ」防止法　213
「忘れない脳」に限りなく近づく　213
勉強したら眠るのがベスト　214
「貼りつけ法」の驚くべき効果　216

何と何を関連づけるか　218
「記憶の呼び水」で身辺を満たそう　222

速く回復する頭になる　225

自律訓練で疲れをとろう　225
「ニワトリの毛をむしる」危機回避法　229
疲労には「禁句」がある　231

これで「合格力」に絶対の自信がつく　234

限界は心がつくる　234
元気の出る「結果先どり」法　236
さあ、これがスランプにならない自分です！　241

おわりに　246

プロデュース、編集／吉田　宏
校正、校閲／遠藤よしえ
装幀／日下　充典

1章

「あせり」をうまく使え！

――集中力が自然に増強するテクニック

「成功暗示」から始めよう

◆「必死の力」を掘り出せ

二年浪人している学生が相談に来ました。

「三浪はできないので、今度こそW大学に入りたいんです」

私は聞きました。

「君は本当にW大学に行きたいの？」

彼は答えます。

「行きたいです」

再び聞きました。

「本当に行きたいの？」

彼も再度答えます。

「はい、行きたいです」

私はさらに聞きました。

「ほ、ん、と〜に、行きたいの？」

彼はちょっと躊躇《ちゅうちょ》しました。

「え〜、まあ。W大学に行けばカッコいいと思いますから……」

「それだけですか」

「う〜ん。親からも行けと言われていますし」

「……」

私が彼に聞きたかったのは、「どうあってもW大学に行きたいのか。それはなぜか」でした。それこそが、合格する最大の理由になるからです。

世の中に、理由のない結果はありません。

勉強が進まない、成績が伸びない、試験に合格しない……。これらには、必ず何らかの理由があります。勉強が進む、成績が伸びる、試験に合格する……。これらにも、必ず理由があるわけです。

私は、基本的に、すべての人間は使命を持って生まれてきており、かつ、その使命を果たすのに必要な能力が生まれつき与えられていると考えています。ですから、本人が真に心の奥底から望んだことは必ず実現すると思っています。

彼が心の底から「W大学に行きたい」と欲しているなら、行けないはずがないのです。にもかかわらず二浪しているのは、一言で言うなら、心底からの本気ではないからです。本気でなければ、実現力はぐんと落ちます。モチベーション（意欲、動機）は高まらず、集中は持続せず、勉強が進むはずがありません。

私は彼の生身《なまみ》の声を引き出そうと質問を続けました。

出てきた本音はこうでした。

彼は、高校時代に、信頼していた友人に彼女をとられました。大ゲンカになり、友人と訣別《けつべつ》したのですが、その時、相手は彼をこう嘲笑したそうです。「お前はマヌケだね」と。そのショックで劣等感が急に強くなり、以降は何をやってもうまくいかなくなったというのです。

「何とかしなければ。やつを見返してやろう」と思いました。K大学を志望して合格した相手を見返すには「W大学しかない」と勉強しましたが、劣等感がブレーキをかけて集中できない状態が続き、現在に至ったというのです。

「今でも、その悔やしさはありますか」

「あるにはあります。でも、実のところ、かなり薄れているようなのです。今では、W大学志望は、世間体だけの気がします」

私はもう一度モチベーションを高めるために、その時の悔やしさを思い出してもらおうと、こんな暗示語を提案しました。それは、

「俺をバカにしたやつらを、必ず見返す」

という生々しい言葉でした。

翌年三月。彼から電話がありました。

「本命《ほんめい》とすべり止め三校を受けました。すべり止めはみんな落ちたのに、W大学だけ合格しました」と。

本命の大学に受かってすべり止めに落ちるのは不思議な感じがします。でも、「どうあっても!」という一念の強さは、そういった不思議を演出することもあるのです。

◆「口ぐせ」を改めるのも勉強のうち!

超高速勉強の第一歩は、集中力の養成と持続です。

集中力に最高の効果があるのが、自己暗示です。

一般に自己暗示法は、弱点克服によく使われます。私はさまざまな自己暗示法を指導していますが、対象は、対人緊張や視線恐怖などの神経症、無意識の動作をくり返すチック症、多汗症や肥満症などがほとんどです。

しかし、自己暗示は、そういう弱点克服に役立つだけでなく、能力全般の向上と開発に強い効果があります。中でも集中力は、自己暗示によってこそ飛躍的に強化されるといってよいでしょう。

二〇〇四年アテネ五輪の女子レスリングでメダリストになった浜口京子選手が、その好例です。父親のアニマル浜口氏が京子選手に「京子～っ、気合いだあ～っ」と一声かけるや、京子選手の顔が一瞬にして引き締まるようすを、テレビでご覧になったかたも多いでしょう。あれが、まさに自己暗示です。

あの言葉が、京子選手の中で強い自己暗示語になって、「集中へのスイッチ」をオンにしているのです。適度な緊張感が集中力を高め、能力を最大限に発揮させるのです。

自己暗示というと、リラックスした環境の中で静かに言葉をくり返すイメージがあるかもしれませんが、それだけではないのです。日常生活の中で無意識に反復されている思考、感情、人生哲学、情報などのほうが、むしろ暗示となりやすいものです。

●集中力は自己暗示から●

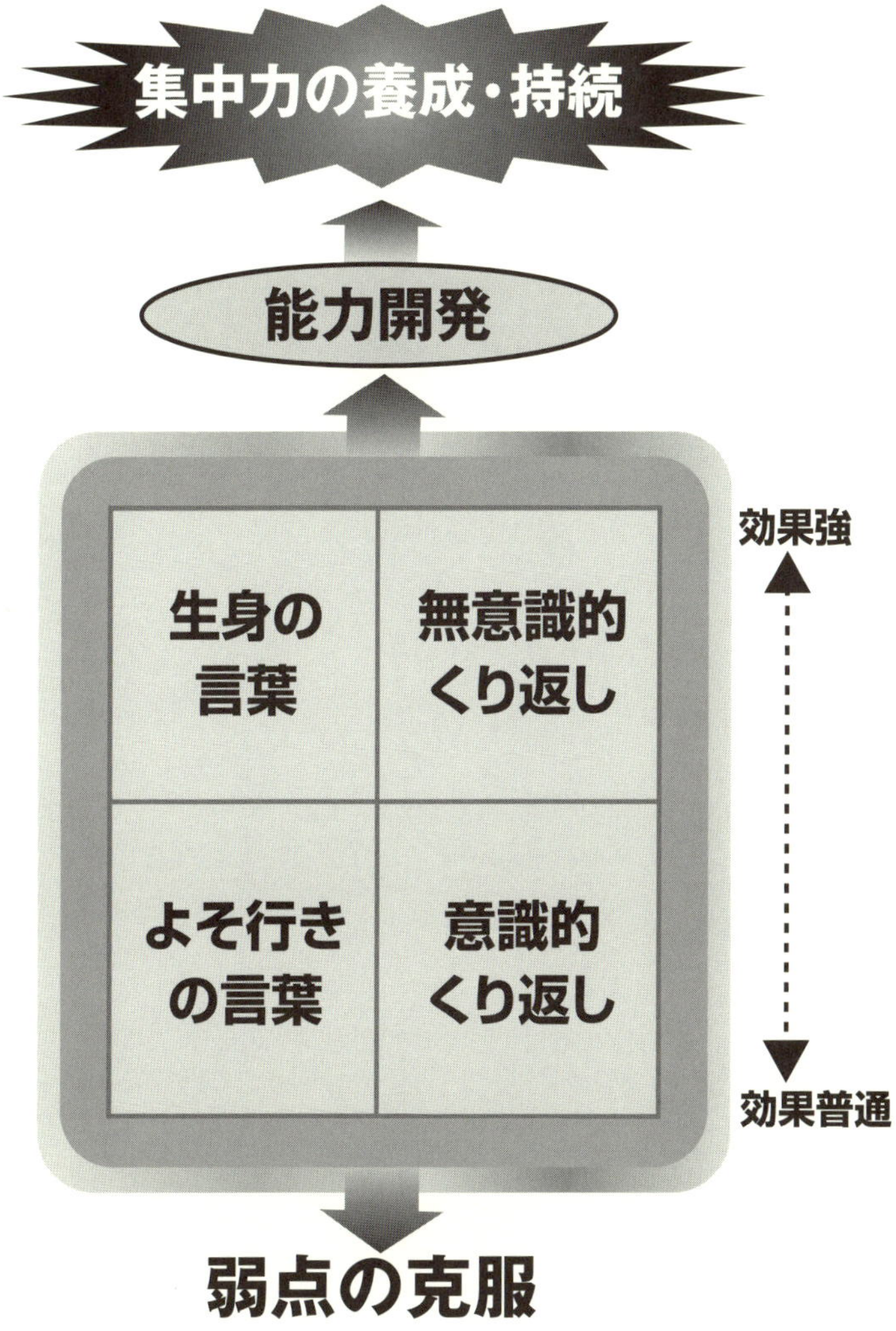
集中力の養成・持続
能力開発
生身の言葉
無意識的くり返し
よそ行きの言葉
意識的くり返し
効果強
効果普通
弱点の克服

それらは、よくも悪くも、必ず現実化していきます。

日頃どういう考えかた、感じかた、見かたをしているかが、その人の成功率や運不運などを決めているのです。

「できない」とか、「やってられないね」「むちゃ言わないでくれ」なんて言葉が心の中でいつもこだましている人は、ふてくされた状態になっています。行動を起こすはずもなく、成功率が高まるはずがありません。

しかし、「負けるもんか」とか、「やってやる!」「このままじゃ終わらないぞ」といった言葉が響いていれば、猛然と、集中して、ことに当たるでしょう。成功率、実現率は急速に高まっていきます。

四十代のサラリーマンAさんが、資格試験に挑戦しました。高校生の息子から、「なぜオヤジはそんなに勉強するのか?」としばしば問われます。そのたびに彼は「四十歳をすぎると、あとがないんだ」と答えていたそうです。

二十代、三十代には、「まだ時間がある」とのんびりかまえていました。しかし、四十代になって、Aさんは、「このまま人生が終わってよいのか」という猛烈な危機感に襲われたのです。「あとがない!」という切迫感が、失なわれつつあった集中力をよみがえらせました。

その結果は？　勉強を始めて、わずか二年のうちに、宅建（宅地建物取引主任者）、行政書士、社労士（社会保険労務士）などの人気資格、難関資格をとってしまいました。資格さえとれば翌日から人生が上向くわけではありません。しかし、「気がつくと、かつては上司だった人が自分の部下になっていました。人生の妙味と驚きを感じています」とAさんは言っていました。

◆「暗示がきかない」と思い込んでいる人に

自分に暗示をかける暗示語は、特別な言葉でなくてかまいません。

①行動が変わる言葉
②行動に移せる言葉
③行動が増す言葉

でさえあればよいのです。

言葉は思い（念）を強めます。念の強さは行動の変容をうながし、驚くほど集中力を高めてきます。簡単にいえば、念の強さと集中力は比例するということです。

その意味からすると、暗示語は何でもよいといえます。中でも、

「見返してやる」

「やってやる！」

「気合いだあ～っ」

などといった「生身の言葉」が最適といえるかもしれません。

「私はだんだん勉強するようになる」「私は集中できる」といった言葉も効果はあります。ただ、きれいに化粧された「よそ行きの言葉」の感じがします。自己暗示効果を強く出すには、もっと生身の言葉のほうがよいでしょう。換言すれば、「心に火をつける言葉」を見つけていただきたいということです。


自分の心の底からの本音を導き出すために、次ページの質問に答えてみてください。

「あなたは何のために勉強をするのですか？」


よそ行きの言葉はいりません。生身の言葉で書くことが大切です。

まず、思いつく言葉をすべて書き出します。五でも十でも、二十でもかまいません。書ききれなかったら別のメモ紙に書いてください。


次に、書き出した言葉を、いくつかに整理してください。二つでも三つでも結構ですし、一つだけでもいいでしょう。

最後に、整理したいくつかの言葉の中から、一つを選んでください。あるいは、一つの

●いい暗示語を見つける●

	あなたは何のために勉強するのですか？
すべて書き出す	① ② ③ ④ ⑤ ⋮
	あなたは何のために勉強するのですか？
整理する	① ② ⋮
	あなたは何のために勉強するのですか？
1つにしぼる	

言葉にまとめてください。前の段階で一つにしぼられているなら、その言葉をもう一度書いてください。

これがあなたの心の底からの本音、魂の声です。

一つだけ。ここに価値があります。よけいな言葉、考えはいりません。

禅の曹洞宗大本山・永平寺で、修行僧にまず教えることは「我見《がけん》を捨てよ」ということだそうです。

そのために、廊下を歩く、トイレに入る、食事をとる……すべての動きに制限が設けられます。よけいな自我を切り捨て、ひたすら「形」の中に自分をはめていくのです。自分を否定し、否定しきって、なお最後に残るのが、仏教でいう「真の自己」というわけです。

ピカソは、「目に見えるいっさいのムダを切り捨てて、最後に残ったものが真の芸術である」と喝破したといいます。

今回、言葉を一つだけ選んでいただいたのは、禅の修行やピカソの芸術のように、ぎりぎりの本音の部分を見つけてもらいたかったからです。

最後に残ったこの言葉が、集中力を養う最良の自己暗示語となります。

あとは日々、それを口に出すだけです。集中力はもちろん、モチベーション、目標達成力、実現力がみるみる高まっていきます。

今すぐ、この言葉を口にしましょう。すぐにでも勉強したくなるに違いありません。

◆集中できないのはイメージがあいまいだから

企業の社員研修などで、私は前述のように何度も「あなたは何のために?」と研修生に問います。

そういう時の私は、かなり厳しい講師に豹変していると思います。

しかし、「何のために研修を受けているのですか?」と問うと、大半の研修生が「上司に言われたから」「会社の方針だから」などと答えます。

これではモチベーションは上がりません。私は、「それじゃあ、だめです」と突き放し、せめて「スキルアップのため」とか「自分の能力開発のため」とか答えてもらうところまで誘導していきます。

なのに、そのあと「では、この研修で具体的に何をしますか」と問うと、またも大半のかたが「積極的にがんばります」「一生懸命やります」などと答えるのです。

これらの言葉は、一見、やる気に満ちているかのようです。しかし、その実、まったく「あいまい」なのです。

実際、私がわざと、「では、積極的に動いてみてください」などと言うと、相手はその場で立ち往生します。何をどう積極的に動いていいか、わからないからです。

あいまいな言葉や考え、イメージは、あいまいな動きとなって表われます。集中した動きにはならないのです。

言葉やイメージは、具体的でなければなりません。「具体的に」とは、「今すぐ、この場で動ける」内容だということです。たとえば、この場合は「誰よりも早く手を上げます」とか、「大きな声で返事をします」とかいうことです。

「具体的とはこういうことなのか」と気づいた人は、動きがにわかに変化します。具体性には、それだけの威力があるのです。

「明日から三時間勉強する」では、まだあいまいです。「明日の午後八時から三時間、まず英単語、次に文法、そして過去問題対策を一時間ずつやる」が具体的なのです。

人生は、実に正直なものです。自分が具体的にやった分だけ、結果が出るのです。具体的に考えれば具体的に動くことができ、具体的な結果を得られます。

今、あなたが、「自分に満足している」と思えるのなら、それだけの具体的なことをやってきたということであり、「満足していない」のなら、あなたが何と言おうと、それだけのことしかやってこなかったということなのです。

●集中力のつけかた●

瞑想法
瞑想の姿勢になり
心身の調整を行なう
ことで
集中力を高める
一点集中法
ある一点に視点を置き
そこを凝視することで
集中力を高める
呼吸法
呼吸を整えることで
集中力を高める
道具法
イライラ感をとり除く
道具を使用することで
集中力を高める
リラクゼーション法
暗示やイメージで
リラックス状態に
導くことで
集中力を高める
時間設定法
終了時間などを
設定することで
集中力を高める
筋肉弛緩法
体の中の1つ1つの
筋肉を弛緩させることで
集中力を高める
自己暗示法
集中する言葉を使うことで
集中力を高める

怠け心を封じ込める

◆「あれこれ」より「まずこれ」を選ぼう

「何のために勉強をするのですか?」という問いに、前項で、あなたは生身の言葉で答えました。

それは、目的意識が明確になったということです。目的意識がインプットできたということです。自動車でいえば、エンジンがかかったことを意味します。

次は、どの道を通っていくかを決めなければいけません。ここで具体性が必要になるのです。

まず、締切から全体を眺めてみましょう。

●全体計画表●

月／科目	月	月	月	月	月	月	月	月	月	月	月	月

※試験日を記入し、それまでに科目別に何をどれだけ、どのくらいやるかを記入する。
これを記入したら、月間計画表を作成する（31ページ）。

三十代なかばのサラリーマンBさんが、私に、「大学に入り直したい。医学部が志望だ。勉強法を教えてほしい」と言います。

私はBさんに、「何をどれだけ勉強するのか」も聞き、教材（素材）を持って来てもらいました。

試験に合格するには、つい「あれも勉強しなくては、これもやっておかなくては」と目移りしがちです。ですが、できるだけ、教材は少なくするのが集中のコツです。

Bさんにも、「あれもこれも」と意識を分散せず、「これだけは確実にやる」ものにしぼってもらいました。

厳選した教材をもとに、計画を立てます。

その時に大切なのが、教材の目次です。

私は、本を読む時、必ず目次にたんねんに目を通します。全体の流れをつかみ、内容を予想してから、内容を読むのです。こうすることで集中力の配分、重点項目の把握が容易になり、読書の効率は飛躍的に上がります。

勉強でも、全体計画を立てる前に、目次を見て、教材が全部で何章あるかをつかみます。

それと、締切（Bさんの場合は試験日）を考え合わせるのです。そうすれば、「十五章を十五日間でやる」とか「三十章を八十日間でやる」とかいう見当がつきます。

●月間計画表（　　月分）●

日／科目	1 2 3 4 5 6 7		25 26 27 28 29 30

※29ページの全体計画表ができたら、それをもとにさらに具体的に、科目別に日割を記入していく。できた個所に印を記入すると、何ができて、何ができていないかが明確になる。

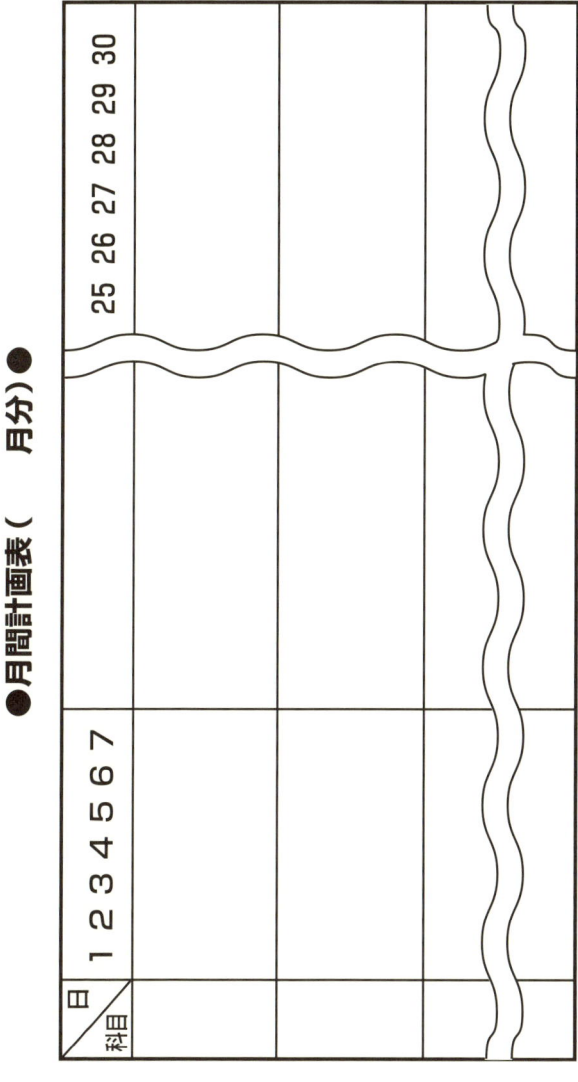

これが、そのまま計画になります。

見当がついたら、全体を、ムリのないように月（場合によっては年、週など）に割り振り、表に記入します。表は、29ページのようにシンプルなものでかまいません。

次に、月間（場合によっては週、日など）計画表も用意しましょう。

これも、31ページのように簡便につくります。要は、できた部分に×印をつけることによって、「何ができたか」「何ができていないか」を一目瞭然にすることなのです。同時に、「これだけやったんだ」という達成感も味わえるでしょう。

二種類の計画表に記入したら、しめたものです。

あとは計画通りに進めばいいのです。

勉強のスピードを上げるには、これが最も基本です。計画表ができれば、スピードの調整（速くしたり遅くしたり）もできます。

◆「勉強となると気がゆるむ」のはなぜ？

私の悪いクセは、締切が近づかないと、エンジンがかからないことです。俗な言葉で言えば、ケツに火がつかないと集中できないのです。

しかし、私は常に集中しています。

意味がおわかりでしょうか。

私はこれといった才能がありません。ですから、あれも、これもと、同時に五足くらいの草鞋《わらじ》を履《は》いて仕事をしなければ、メシを食っていけません。どんどん、仕事をお受けします。

当然、次から次へと締切（納期）がやって来ます。納期を守ることは、社会のルールですし、守らなければメシの食い上げにもなります。必死で納期を守ります。

そうです。エンジンのかかりの悪い私も、次々と納期に追われることで、集中しっぱなしの状態になっているというわけです。

勉強においても、締切を設定することが大切です。

「仕事なら、納期を必死で守る。しかし、勉強となると、そうはいかない」という人がいるかもしれません。そういう人のために、ゲームをしてみましょう。

「十枚のコイン」というゲームです。

五円玉でも百円玉でも、何でもよいですから、コインを十枚、机の上に一列に並べてください。そして、誰かもう一人、連れて来ましょう。

①まずジャンケンをします

②ジャンケンに勝ったほうが先攻です
③コインを一回につき一枚、もしくは二枚、交互にとっていきます
④最後にコインを一枚とったほうが勝ちです

いかがでしょう。勝てたでしょうか。

このゲームには秘密があります。「先攻した人が必ず勝つ方法」があるのです。
それは、「最後に必ず相手に三枚残すようにし向ける」ことです。
最後に三枚残すためには、その前に、必ず相手に六枚残すようにします。
その六枚を残すためには、その前に、必ず相手に九枚残すようにすればいいのです。
ということは、先攻した者が、最初に一枚とれば、必ず勝てるわけです。

◆強い締切力と弱い締切力

このゲームの意図は、「必ず勝つには、勝つための考えかたと行動をとればよい」ということにあります。

勝つためには三枚を残せばよい。三枚を残すためには、その前に六枚残せばよい。六枚を残すためには、その前に九枚残せばよい……人生もまた同じだということです。

●10枚のコイン●

1 やり方

- 2人1組になってジャンケンで勝った人が先攻
- 1回にコイン1枚、もしくは2枚とれる
- それを交互にとり合って最後にコインをとった人が勝ち

2 先攻した人が100%勝てる方法がある

↓

なぜか

3 勝つためには、勝つための手順を踏めばよい

↓

最後に3枚残すようにすればよい

↓

3枚残すためには、その前に6枚残せばよい

↓

6枚残すためには、その前に9枚残せばよい

↓

これが先攻が100%勝つ手順

たとえば、五年で一千万円を貯めるのは、とほうもない目標に思えます。

それを、こう考えるのです。

五年で一千万を円貯めるには、四年で八百万円を貯めればよい。

四年で八百万円を貯めるには、三年で六百万年を貯めればよい。

三年で六百万円を貯めるには、二年で四百万円を貯めればよい。

二年で四百万円を貯めるには、一年で二百万円を貯めればよい。

よって、月々十七万円を貯めればよい……ということになります。これも大きな額ですが、知恵と努力を総動員すれば何とかなりそうです。

勉強も同じです。

まず教材の目次を見て、全部で何章を勉強しなければならないかをつかみます。

たとえば半年で三十章を勉強するのは、ちょっときつく感じます。

それを、こう考えるのです。

半年間で三十章をマスターするには、五カ月で二十五章までを達成すればよい。

五カ月で二十五章をマスターするには、四カ月で二十章までを達成すればよい。

四カ月で二十章をマスターするには、三カ月で十五章までを達成すればよい。

三カ月で十五章をマスターするには、二カ月で十章までを達成すればよい。

●勝ち組になるには勝ち組になる手順がある●

1000万円を5年で貯めたい

- 4年で800万円貯める
- 3年で600万円貯める
- 2年で400万円貯める
- 1年で200万円貯める

半年で○○試験に合格したい

- 5カ月で○○までを達成する
- 4カ月で○○までを達成する
- 3カ月で○○までを達成する
- 2カ月で○○までを達成する
- 1カ月で○○までを達成する
- 1週間で○○をする

「10円のコイン」ゲームと同じく必ず勝つためには、勝つための手順を踏むことが大切二カ月で十章をマスターするには、一カ月で五章までを達成すればよい。よって、一週間で一章と少しをマスターすればよい。すなわち一日平均○ページをやればよい……という計算が成り立ちます。

これが「締切」なのです。

締切を設定すると、具体的な一日当たり、一週間当たり、一カ月当たりの目標が明確になります。明確な目標が、強い集中力を生むのです。

◆「すぐ飽きる自分」を補填《ほてん》する

お恥ずかしいのですが、私は学生時代、いつも「一夜漬け」で勉強をしていました。

一夜漬けとなると、時間設定法にも特別な工夫が必要です。それが次ページの図です。

各科目とも、五十分単位の時間が一回目と二回目のペアになって組まれています。ここが重要です。

まず、一回目の五十分で、試験範囲を最初（Aページ）から最後（Bページ）まで全部記憶します。「何が何でも五十分で！」と強く決意しましょう。驚異的に集中できます。

しかし、どれほど集中しても、頭はだいたい三十分をすぎるあたりから疲れてきます。

●一夜漬けの例●

0：00　仮眠から起床　食事　風呂

1：00 〜 1：50	英語　1回目
2：00 〜 2：50	数学　1回目
3：00 〜 3：50	理科　1回目
4：00 〜 4：50	英語　2回目
5：00 〜 5：50	数学　2回目
6：00 〜 6：50	理科　2回目

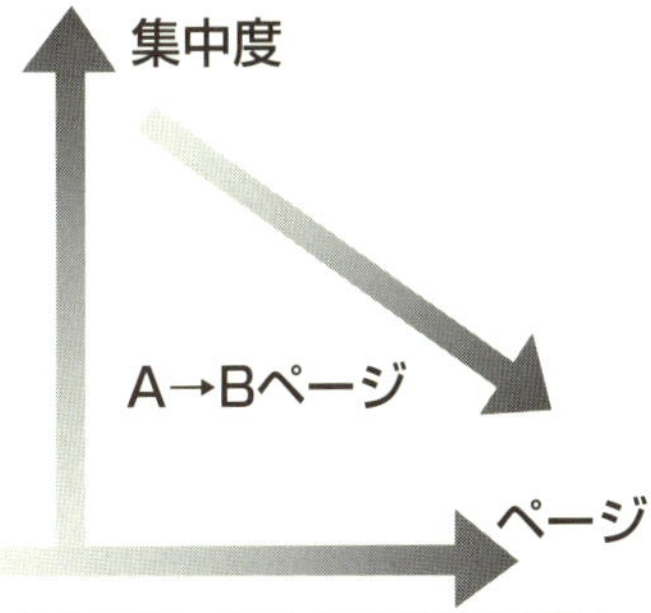

A→Bページに進むにしたがって集中度が落ちる

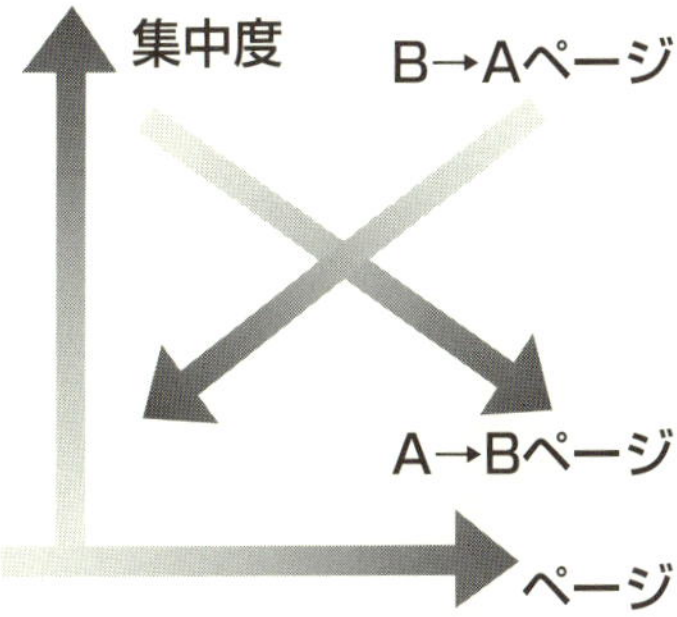

2回目はB→Aページに逆戻りすることで集中度合を補填する

集中の度合いは時間の経過とともに落ちるので、その分補填する必要がある試験範囲の最初のほうは記憶できますが、最後の三分の一は、あまり頭の中に入らなくなってしまいます。

その分を、二回目の五十分で補填《ほてん》するのです。

二回目は、試験範囲を、逆に、最後（Bページ）から最初（Aページ）まで、記憶し直しましょう。また、三十分をすぎるあたりから集中力が落ちてきます。しかし、その時に記憶し直すのは、一回目の集中力が最高の時間帯に記憶した部分です。

つまり、一回目と二回目とで、記憶の低下を相殺し、バランスよくおぼえることができるのです。

私はこの方法で、いつも必ず合格点をとっていました。

ただし、これは自慢ではありません。「もっと勉強すればよかった」という後悔です。私は一夜漬けをおすすめしません。本当の学力は、毎日コツコツ少しずつ蓄積することで身につくものだからです。

申し上げたいのは、集中力を高める方法の中で、最も簡単で効果の高いのが、この「時間設定法」だということです。締切を強制的に決めることで、意志力を補い、怠け心を封印します。自分で「締切」を決めて、「それまでに必ずやり遂げる」という強い気持ちを持つことで、集中力は嫌でも高まっていくのです。

「無力な努力」をなくしていく

◆「努力逆転現象」を抜け出せ

「集中力がない」という相談で、しばしば出てくる問題が「雑念」です。「雑念が出てきて、集中できない」というのです。

私は、そのつど、こう言います。

「犬はなぜ追いかけて来るのかご存じですか? それは、逃げるからですよ」と。

雑念は、犬と同じなのです。追い払おうとすると、逆にどんどん出てきます。

総じて、まじめできちょうめんな人ほど雑念に悩まされやすいのは、雑念をまじめに追い払おうとするからなのです。

努力すればするほど悪化する……これを、「努力逆転現象」と言います。

一般に、努力と成果は比例するようになっています。努力が小さいと成果も小さく、努力が中ぐらいだと成果も中ぐらい。大きな成果を得るには、大きな努力が必要です。

ところが、人生には、そうならないことが、ままあります。

たとえば、あがり症の人は、「あがるまい」と努力すればするほど、逆にあがりが強くなります。あるいは、眠れない夜に、「早く眠ろう」と意識すればするほど、逆に眠れなくなります。

これが努力逆転現象です。

なぜ、こんなことが起きるのでしょうか。

精神に過剰なプレッシャー（圧力）をかけることで、交感神経が強く刺激されるからです。交感神経は、心臓の鼓動を早めたり、血管を収縮させたりして、「手に汗を握る」状態をつくる自律神経です。それを過剰に興奮させることで、セルフコントロールがきかなくなるために起こるのです。

これを私は、「圧力思考症候群」と呼んでいます。圧力思考をかけすぎると、努力逆転現象が起こっていくのです。

雑念に苦しむ人は圧力思考症候群に陥り、努力逆転現象のどつぼにはまっていくのです。

●努力と成果の関係●

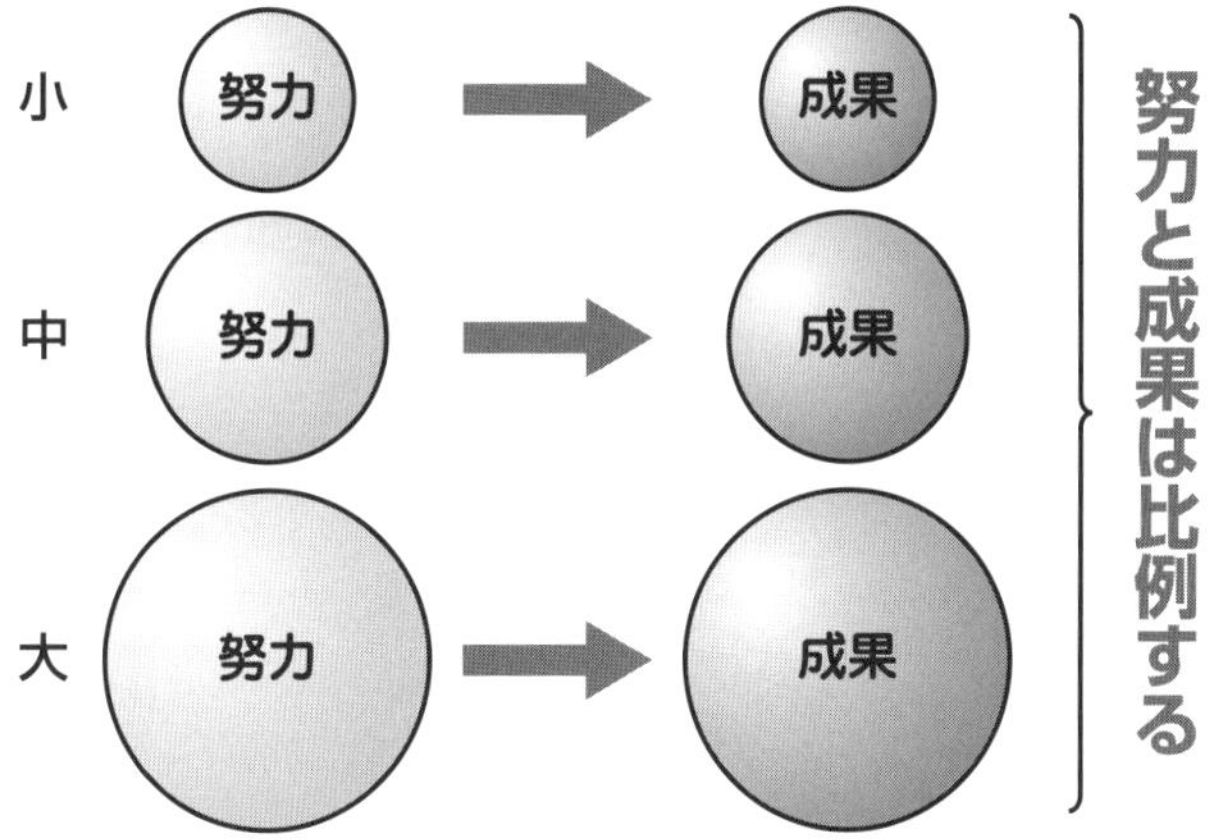

●努力逆転の法則●

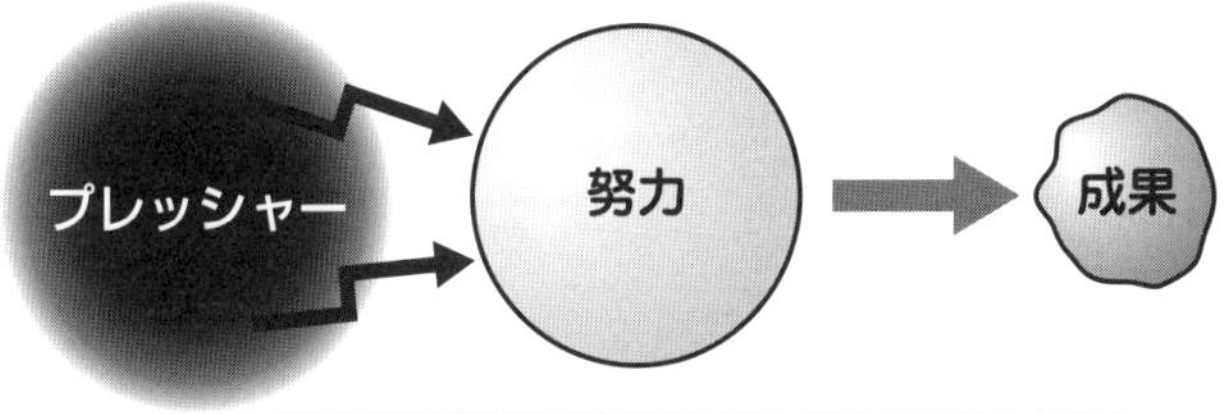

努力逆転の法則 とは、
努力すればするほど結果が悪くなるという
現象のこと

例

「寝よう寝よう」と努力する ····▶ かえって頭がさえて眠れない

「勝とう勝とう」と努力する ····▶ かえって勝負に負ける

「あがるまいあがるまい」と努力する ····▶ かえってあがって恥をかく

逆にいえば、努力逆転現象にストップをかければ、雑念で集中をさまたげられることはなくなるということです。

◆「ながら」のうまい活用法

ヤカンの口や蓋《ふた》の穴を密封して、火にかけたらどうでしょう。沸騰した湯から出る蒸気は逃げ場を失ない、ヤカンは爆発してしまうでしょう。

人の心も同じです。

雑念は蒸気のようなもの。出ないように密封したら、心は爆発してしまうでしょう。

大事件を起こした人について、周囲の人が、「まじめな人なのに意外です」とか、「いい子なのに信じられない」などと言うことがあります。しかし、私は、そういう見かたをしません。フツフツと煮えている感情を表に出さないで、心の奥底に封印しようとするから、ある日大爆発（大事件）を起こすことになるのです。

雑念は、生きている限り、フツフツと出てくるものです。ムリに封印したり、逃げたりしないようにしてください。

「出てくるものは出てくるんだから、しかたないじゃないか」と認めることがいちばんです。「雑念さん、どんどん出ていらっしゃい」と歓迎してあげましょう。

雑念に執着しないということです。

すると、雑念は逆に消えていきます。

バネを軽く押すと、小さく反発しますが、ギュッと強く押すと、ビヨーンと強く反発します。雑念も、「出てきていいよ」とやさしくしてやると少し出、「出ちゃだめだっ！」と強い圧力をかけると、どんどん絶え間なく出てくるのです。

では、具体的にはどうすればよいのでしょうか。

「ながら勉強」がおすすめです。

スポーツなどで、こういう光景を見ます。

集中すべき決勝戦で、選手が自分から、観客に手拍子を催促するシーンです。あれは、手拍子という「雑音」を利用して、「勝たなくちゃ」「最高の結果を出さなければ」という「雑念」を消しているのです。

勉強も同じです。

たとえば、英会話を聞きながら数学の問題を解くとか、ラジオの経済学講座を聞きながら仕事の資料を読むとかしてみましょう。英会話やラジオ講座という「雑音」を聞くことで雑念を相殺《そうさい》させるのです。

大切なことは、耳に入ってくる英会話とかラジオ講座は、記憶しようとしないことです。聞き流してください。おぼえようとすると、負担になって、うまくいきません。努力逆転現象に陥ってしまいます。

これには、一石二鳥の効果もあります。

たとえば、テレビコマーシャルの歌やコピーは、おぼえようとしなくても、見聞きしているうちに何となくおぼえてしまいます。それと同じように、「聞きながら」勉強していると、聞いていることを何となくおぼえてしまいます。

いわば「耳ならし」ができるのです。

こうしておくと、次に、きちんと、その英会話やラジオ講座の勉強をする時に、驚くほどすんなりと頭の中に入っていくのです。

ぜひ、お試しください。

◆まじめな努力家が理想とは限らない

「集中力がない」という相談で、雑念と同じくらい多いのが「疲れてしまう」ことです。

疲労には二種類あります。

肉体的疲労と精神的疲労です。

肉体的疲労は、疲労物質である乳酸が体内にたまる現象です。乳酸がたまると、体は動きにストップをかけます。たとえば百メートルを全力疾走すると、息が切れ、その場にヘタリ込んで動けなくなります。これ以上動くと危険だと、体がストップをかけたのです。

この肉体的疲労は、休養をとることで回復します。

しかし、精神的疲労は、原因もさまざまで、かつ、休養を十分にとっても回復するとは限りません。「ゆうべあんなに寝たのに、まだ眠い」といった感じが、精神的疲労の特徴です。

私などは、自慢ではありませんが、慢性的な疲労感が年中あり、もう気にもなりません。精神的疲労には、雑念と同じように、気にしないことで対処できる面があります。

精神的疲労感がたまっていることを受け入れようとせずに働き続ける「やり手」「猛烈ビジネスマン」のほうが、突然死のような悲劇に見舞われやすいといえます。責任感が強い、きちょうめんだ、融通がきかないところがある、まじめ、上昇志向が強い……というのは、精神的疲労感をためやすいタイプなのです。

Cさんは、いつも「眠い」と言っている女性でした。

「昼寝をするとか、就寝時間を早めるとかしたらどうですか」とアドバイスすると、「昼寝もしているし、夜は主人が帰宅する前に眠っている。睡眠時間は十分なはずなのに、眠い」と言うので、よく事情を聞いてみました。

するとと、昼寝してもすぐ目を覚ますし、夜も夫が帰宅した音で目を覚ますことがわかりました。

Cさんの心の中には、罪悪感がわだかまっていたのです。「主人が働いているのに、自分だけ昼寝したり、早く寝たりするのは申しわけない」という気持ちがあって、休んでいるつもりでも本当は休めていなかったのです。

Cさんは、どうすればよいのでしょうか。

「いいかげんにしよう」

という暗示語を使うとよいのです。

「いいかげん」というのは、「いい湯かげん」という使いかたからもわかるように、本来は「ほどよい」というプラスの意味です。精神的疲労をためやすいタイプの人は、この「ほどよい」働きかた、生きかたがなかなかできません。

Cさんは、「いいかげんにしよう」という暗示語をくり返すことで、「まあ、いいか」という考えかたを少しずつ増やしました。やがて、罪悪感がやわらぎ、精神的な疲労を感じずに熟睡できるようになっていきました。

◆「挫折」対処術

司法試験の合格を目ざしているDさんが、暗い表情で私のところにやって来ました。聞けば、近親者の病気や、友人の事故、自宅に空き巣が入るなどのアクシデントが重なって、試験が近いというのに「勉強計画の四分の一しかできていない」と、涙さえ浮かべるのです。

私は、「すばらしいじゃないですか」と賞讃しました。

Dさんは驚いて、「なぜですか?」と聞き返します。

私は言いました。

「大変な状況にあって、なお、これだけ計画をこなしていたことがすばらしいと思ったからです」

Dさんは、合点がいかない表情です。私は続けました。

「どんな時でも大切なことは、自分を『だめだ』と否定しないことです。否定すると、精神が萎縮して、それ以上、能力が伸びなくなることがあります。計画の未達成部分を嘆くより、達成部分を誇ってはどうですか」と。

そして、そのための具体的な方法として、「も」と、「しか」の使い分けを教えました。

よく例に出されるのは、「酒を飲んでいて『まだボトル半分も残っている』ととるか、『もうボトル半分しかなくなった』ととるか」ということです。

みなさんはどちらですか？

どちらがよいかということはありません。自分のタイプに応じることが大切です。

私は精神的に弱いタイプですから、「半分も残っている」というほうをとっています。そのほうが精神的なダメージが少ないからです。

ダメージが少なければ、その分、前向きになれますし、「できる」という自己イメージをつくりやすくなります。

精神的にタフな人なら、「も」と自分を甘やかしては伸びないかもしれません。「しか」で自分を叱咤するほうがよいこともあるでしょう。

精神的疲労には、精神的対応がよく効きます。休養や睡眠よりも、暗示語を使ったり、考えかたを変えたりすることで、回復しやすくなるのです。

集中力の疲れをこまめにとる

◆たとえば机に「何か」を置くだけで……

集中力の大敵である雑念を軽くし、精神的疲労を回復するためには、身のまわりの当たり前のモノが、意外に役立ちます。

嗅覚、視覚、聴覚、筋肉の四つを刺激する方法を、順次お教えしましょう。

まず、香りの利用です。

近年、タバコが吸いにくくなっています。事実、愛煙家の部屋に入ると、タバコの臭いで息がつまることがあります。逆に、香りのよい場所に行くと、心身ともスッキリとするものです。

臭いは、それだけ気分に影響します。

日本には古来「香道」があります。さらに、今は「芳香療法」（アロマセラピー）が、確立されています。この「道具」を使わない手はありません。

香りには何百種類もあると聞きます。その香りのエキスをデパートや専門店で買うのもよいでしょう。ですが、もっと簡単で、もっと集中力に効く方法があります。それは、ミカンやレモンなど柑橘《かんきつ》の果物を部屋に置くというやりかたです。

たとえば、グレープフルーツを半分に切って、切り口を上に向けて置くと、芳香剤ほどではありませんが、いい香りで周囲が満ち、スッキリした気持ちになれます。

勉強机の上に置けば、集中力を高めるのにとても役立ちますから、ぜひ、お試しください。

◆部屋を整理することで気持ちも整理される

自然な緑色は、心も体も癒してくれる効果があるようです。

実際、最近は、観葉植物が置かれたオフィスがとても多くなりました。デスクワークに疲れた時に、ふと目に入る緑色が、集中力をとり戻してくれるのでしょう。作業能率が確実に上がります。

観葉植物を身辺に置くことには、もう一つ別の効用があります。それは、掃除をするようになることです。

ホコリがたまって雑然とした場所に、植物を置く気になるでしょうか。たいていの人は、掃除をしてから置くだろうと思います。

この、きれいな環境というのが、集中には意外に大切なのです。

散らかってごみごみした場所に身を置くとよくわかります。汚い部屋では勉強する気にもなりませんが、きれいな部屋で机の上がスッキリときれいになっていると、むしょうに勉強したくなるものです。

私は学生時代、試験の前日は、必ず部屋の掃除をしたものです。「部屋の掃除は心の掃除」と思っていました。

今でも、ずぼらな私が掃除だけは欠かしません。

周囲をきれいに掃除したくなる効果。それに緑色の癒し効果。

少しでも余裕があれば、部屋の中に一つ観葉植物を置いてみてください。部屋を汚しにくくなると同時に、集中力が高まっていくことを実感するでしょう。

◆「うるさいなあ」を逆用する

香りが芳香療法に使われるように、音は「音楽療法」に用いられます。

私は、集中したい時には、バロック音楽やビバルディの『四季』などをよく聴いていました。自分の心を落ち着かせる音楽なら、ジャズや民族音楽などでもよいでしょう。

ただ、演歌やロックとなると、勉強向きかどうかには疑問が残ります。

最も無難なのは、クラシック音楽でしょう。精神的鎮静化に役立ちます。どこからともなく聞こえてくるクラシック音楽を背景に勉強してみてください。集中力が高まり、勉強効率が上がると思います。

音楽だけでなく、自然音にも同様の効果があります。

小鳥のさえずりが聞こえる地下鉄駅があったと思います。CDか何かで流しているのだと思いますが、異空間に入った感じがして、なぜかホッとします。

自然の音には、「ゆらぎ」を含むものが多くあります。全体的なリズムは一定でも、微妙なところで違ったリズムのずれがあるのが、ゆらぎです。ゆらぎは、心身を癒し、精神的疲労の回復に役立ちます。

●能力開発に役立つクラシック音楽●

心種	クラシック音楽	
不安感の解消	ショパン	「スケルツオ第1番」
	ブラームス	「ハンガリー舞曲第5番」
	〃	「交響曲第4番　第2楽章」
	ドヴォルザーク	「チェロ協奏曲　第2楽章」
	モーツアルト	「ピアノ協奏曲」
記憶力向上	バッツィーニ	「妖精の踊り」
	ヘンデル	「ラールゴー」
	バッハ	「G線上のアリア」
	〃	「パルティータ」
集中力強化	チャイコフスキー	「憂うつなセレナード」
	バッヘルベル	「カノン」
	ヘンデル	「ラールゴー」「メヌエット」
	チャイコフスキー	「ヴァイオリン協奏曲　第2楽章」
自信をつける	チャイコフスキー	「交響曲第6番〈悲愴〉第1楽章　第2楽章」
	ベートーヴェン	「交響曲第9番　第1楽章　第2楽章」
	ワーグナー	「ローエングリーン第1幕への前奏曲」
	〃	「ジークフリート牧歌」

音楽はどうも邪魔になる、苦手だという人は、自然音を部屋に流すのもよい方法です。自分の部屋に、水のせせらぎの音や、海の音、小鳥のさえずりが満ちていたらどうでしょう。外の喧騒《けんそう》の世界から、静寂な世界にトリップして、非常に勉強しやすい空間になるのではないでしょうか？

もう一つ、音のするアナログ時計を利用する方法もあります。

私は、集中するには、こと時計に関しては、デジタル式より、昔ながらのアナログ式のほうがよいと思っています。

一つには、アナログ時計は、時間の幅が視覚的に読めるからです。とくに、締切効果を上げるには、アナログ時計は必須アイテムだといえます。

もう一つの長所は、カチ、カチ、カチと時を刻む音が集中力を増すからです。中には、うるさくてかえって集中しにくいという人もいるかもしれません。それでも、時間を意識して勉強するという点では、音があったほうがよいと思います。

音が聞こえるはずなのに、勉強中、まったく音が聞こえなかったら、とても集中できていたということになります。

2章

「長時間」の損に気づこう

常に良質な勉強時間を保つコツ

終わらなくても定刻でやめる

◆時間の有無は気力の有無に比例する

二十一歳の時、新宿の高層ビルの近くに一軒家を借りて、当時あこがれていた「知的生活」がスタートしました。新宿のど真ん中なのに、自動車の音も聞こえない絶好の環境でした。

でも、勉強する気が起きません。

部屋の中がきれいだと勉強したくなるだろうと、掃除に努めました。大家さんにほめられるほど整理整頓しました。部屋が乱れると精神も乱れると思っていたので、とにかくきれいな状態を保ったのです。

ようやく、勉強したくなりました。しかし、どうも身が入りません。

なぜだろうと考え、「勉強するにふさわしい机がないからだ」と気づきました。それで、部屋代の二カ月分もする高価な机を買いました。机が届いた日、「これで勉強できる」と思ったものです。

けれど、結局、私はその後も、まったく勉強しなかったのでした。

要するに、私ははじめから「勉強する気がなかった」のです。本当に「勉強したい！」と思っていたら、環境が悪くても、机がなくても、勉強していたでしょう。私は、「知的生活」のポーズをとっていただけだったのです。

よく、「時間がない」と言う人がいます。

そういう人も同じではないでしょうか。

本当に時間がない人もいますが、多くの場合、「勉強する時間がない」のは、「勉強する気がない」からなのです。

ある人から、毎日のように電話がかかってきたことがあります。

「将来、海外へ行って働きたいのです」

「すばらしい。ぜひ実現させてください」

「でも、今、日本で、働き場所がないのです」

「まず、仕事を探すことから始めてはどうですか」

とアドバイスします。しばらくたつと、またかかってきます。

「どこへ行ってもタバコ臭くて働けません」

「タバコの臭いのしないところを探してみましょう」

「あるはずがないじゃないですか」

「だいじょうぶ。必ずありますよ」

と励まします。しばらくすると、また電話です。

「睡眠不足で体調が悪く、仕事を探せません」

「よく眠って、早く元気になりましょうよ」

「不眠症だから、睡眠薬がないと眠れないんです」

「薬を飲まずにすむように、昼間少し動いたらどうですか」

「薬を飲みすぎて、昼間、動けないのです」

もうおわかりですね。その人には、働く気がまったくないのです。働けない理由を一生懸命に探して、働かずにすむようにしているだけなのです。

実はその人は別の事情も抱えていたのですが、それはさておき、自分自身が、このような「時間のない理由を探す生きかた」をしていないか、反省することが大切です。

◆「長い時間」より「多くの時間」を見つけよう

自動車のハンドルには五センチ程度の「遊び」があります。遊びの部分がなければ、まっすぐ走ることが困難で、とても運転はできません。

人間も、遊びの部分があるから、心身をこわさず仕事ができるのだといえます。

しかし、遊びの「部分」が「大部分」になっていないかのチェックは必要です。

63ページの図の①の空欄に、「仕事時間」と「自分時間」（プライベート時間）の平均的な配分を記入してみましょう。「仕事」には、通勤や、家事、子育てなどが含まれ、「自分」には、睡眠や、遊び、勉強、食事などが含まれます。

さあ、どうでしょう。

「自分時間」が思ったよりあることに気づきませんか？

もちろん、毎日、自分時間が確実に確保できるとは限りません。しかし、自分時間の中に、勉強時間をどのくらいとるかが、まずは重要です。

図の②の欄に、三十分間を一単位にして、どのくらい勉強時間をとれるかを、きちんと記入してみてください。記入例のように、ある程度まとまった時間がとれれば理想的だといえます。

しかし、そうはいかない場合が多々あります。

銀行員のEさんも、時間をつくるのに苦労している一人です。

Eさんは、突発的な用件の少ない部署にいます。仕事も早いほうです。定刻に仕事を切り上げて自分時間を確保し、勉強にあてることができるはずです。ですが、実際に定刻にサッと帰ると、「何だ、あいつは！」と白眼視されると言います。「やるべき仕事はやっている。文句を言われる筋合いはない」と思うのですが、残業することが美徳だという職場の風潮には勝てません。

いくら早く仕事をすませても自分時間を確保できないEさんのような例は、どこにでもあると思います。

ですから、勉強時間をつくるには、生活の「隙間《すきま》」を見つけることが大切になってきます。一単位でいいですから、勉強時間を生活のあちこちに発見してください。

◆「限界」は挑戦目標でなく調整目安

何かをおぼえるには、最低二十分間あればオーケーです。

●勉強時間を見つける●（30分を1単位）

① あなたの平均的時間の使いかたを次の 2 つの時間で分けて下さい。
（仕事時間　　自分時間）

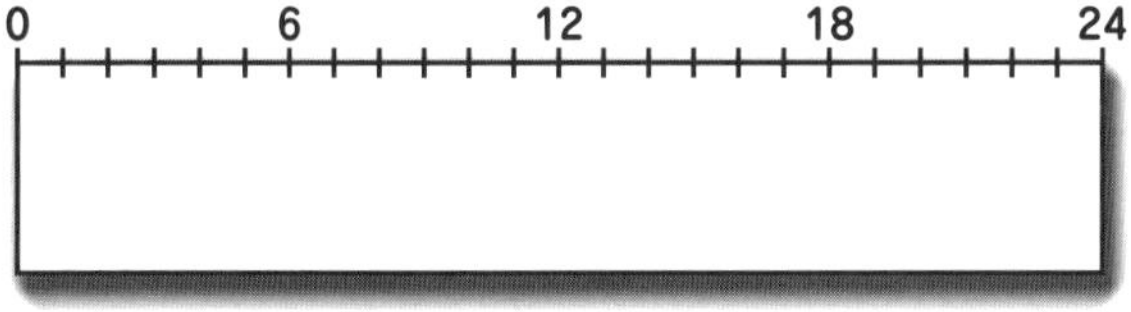

記入例　上記の空欄を下記のような時間に分ける

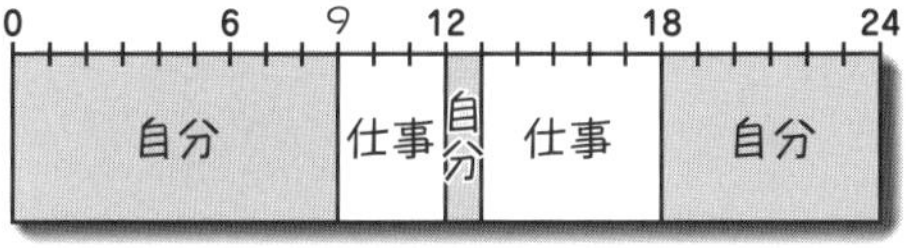

② 上記の記入例からは「自分時間」は16時間とれることがわかります。問題はこの16時間をどう使うかにかかってきます。この「自分時間」の中に、次の 3 つの時間（睡眠時間、プライベート時間、勉強時間）をはめこんで下さい。

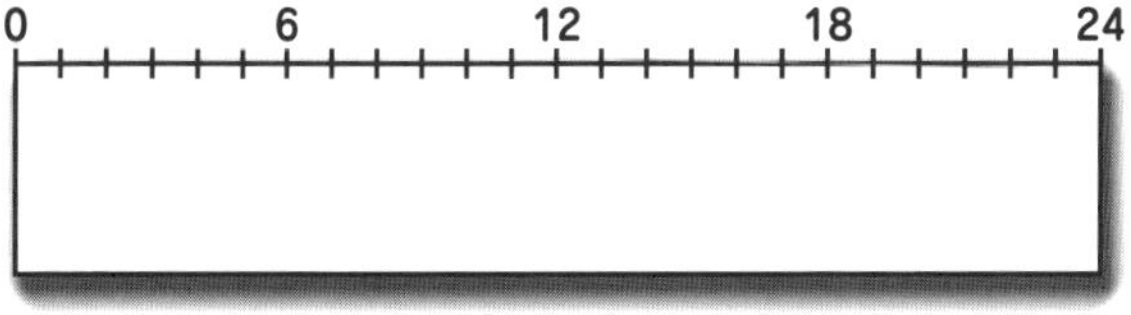

※プライベート時間というのは、「遊び」「デート」「食事」などの時間のこと

記入例　上記の例をもとに「自分時間」をさらに分ける

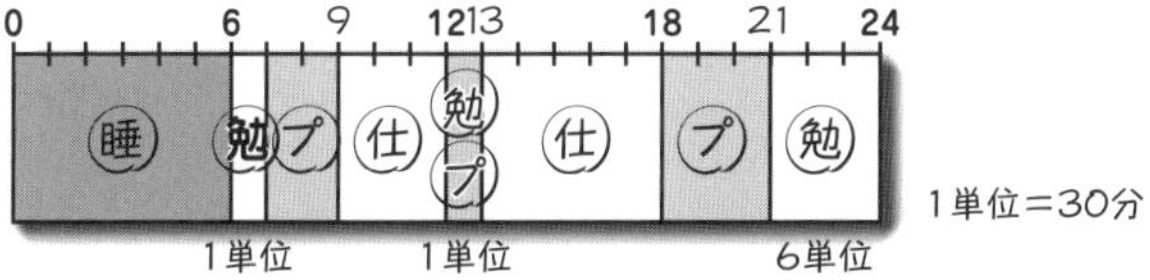

以上のことから、かなりの勉強時間があることがわかる

勉強時間は「三十分間を一単位」にと言いました。それより十分間、短いところがミソです。十五〜二十分間でおぼえ、五〜十分間でおぼえたところを想起する（思い出す）のです。

一般に、勉強はインプット（記憶、記銘）することだと思いがちですが、実は、それよりもアウトプット（再生）のほうが重要です。

勉強時間には、「記憶する時間」と、「思い出す時間」の二つが必ず含まれていなければなりません。

「勉強時間＝記憶時間＋想起時間」

という公式にのっとることが必要です。

これを忘れては、たくさん勉強しても、試験などで実力を十分発揮することができません。「あんなに勉強したのに」と嘆く人は、自分の勉強時間を、この公式で見直してみてはいかがかと思います。

たとえば私が被験者に対して催眠を一時間かけたのに、被験者は、覚醒して「十分間ぐらいだと思った」と言うことがあります。これは、催眠によって時間が歪曲されたために起こる現象です。催眠は特殊な状態ですので、こういうことが起こるのです。

これは、催眠中だけの話ではありません。踊りまくっていたり、コンサートに熱中していたり、セックスやギャンブルに興じていたりすれば、誰にでも起こり得ます。

しかし、勉強となると、そうはいきません。精神的に負荷がかかりますから、よほどの人でない限り、一時間も二時間も集中して勉強することは困難です。

人間は、精神的に負荷がかかることに集中するのは、十五〜二十分間が限度だといわれています。二十分間は、記憶に、ちょうどよい時間なのです。二十分間で再生に切り替え、また集中するわけです。

多くの人は「勉強には、まとまった時間をとらなければならない。だが、一日に三時間も四時間もとれない」と考え、「だから時間がない」と誤解しているのだと思います。

でも、二十〜三十分間なら、一日に四〜五回以上はとれるのではないでしょうか？

ぜひ、自分の一日の時間を、もう一度63ページに戻ってチェックしてください。一日に二〜三時間のまとまった時間がとれなくても、二十〜三十分間を何度もとれれば、勉強は進むのです。

◆勉強では「専念」は「漫然」に堕《だ》しやすい

私たちは、とかく「一意専心」をよしと思いがちです。

しかし、時間的に余裕のない人はもちろん、余裕のある人も、これからは「分割分業」でいくようにしてください。

たとえば英語の勉強を、一週間に一日だけ二時間する人と、一週間毎日十五分間する人とでは、どちらが英語力がつくでしょうか。

当然、後者ですね。

勉強時間の合計に、大差はありません。しかし、効果には、大きな差が出ます。

「まとまった時間がなければ勉強できない」というのは錯覚であり、誤解だということを肝に銘じましょう。大切なことは、短くてもよいから、長く続けるということです。

ですから、一時間を時間単位とする必要はないのです。三十分間二単位か、二十分間三単位に分割して勉強する習慣をつけましょう。

小学校時代から勉強時間は約一時間が一単位となってきたために、一科目は一時間やらなければ勉強した気にならない感覚が残っているかもしれません。

しかし、一クラス三十～四十人という集団で勉強する学生と、個人で勉強する社会人とでは、感覚を変える必要があるのです。二十～三十分間で一単位。ただし、時間が短い分、期間を長く。「太く短く」ではなく、「こまかく長く」勉強するようにしてください。

67ページの図のように、一時間を二分割する場合は、勉強時間は三十分間、記憶時間は

●1時間2分割の場合●

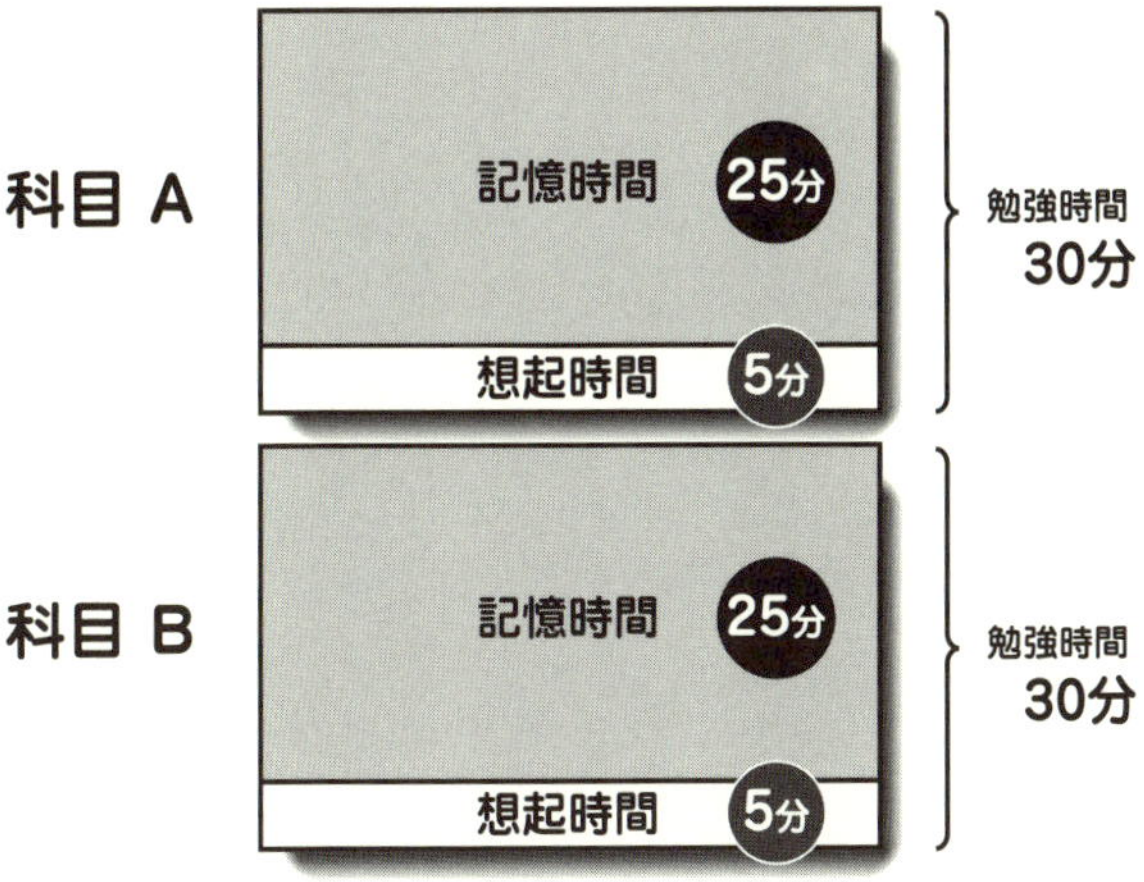

●1時間3分割の場合●

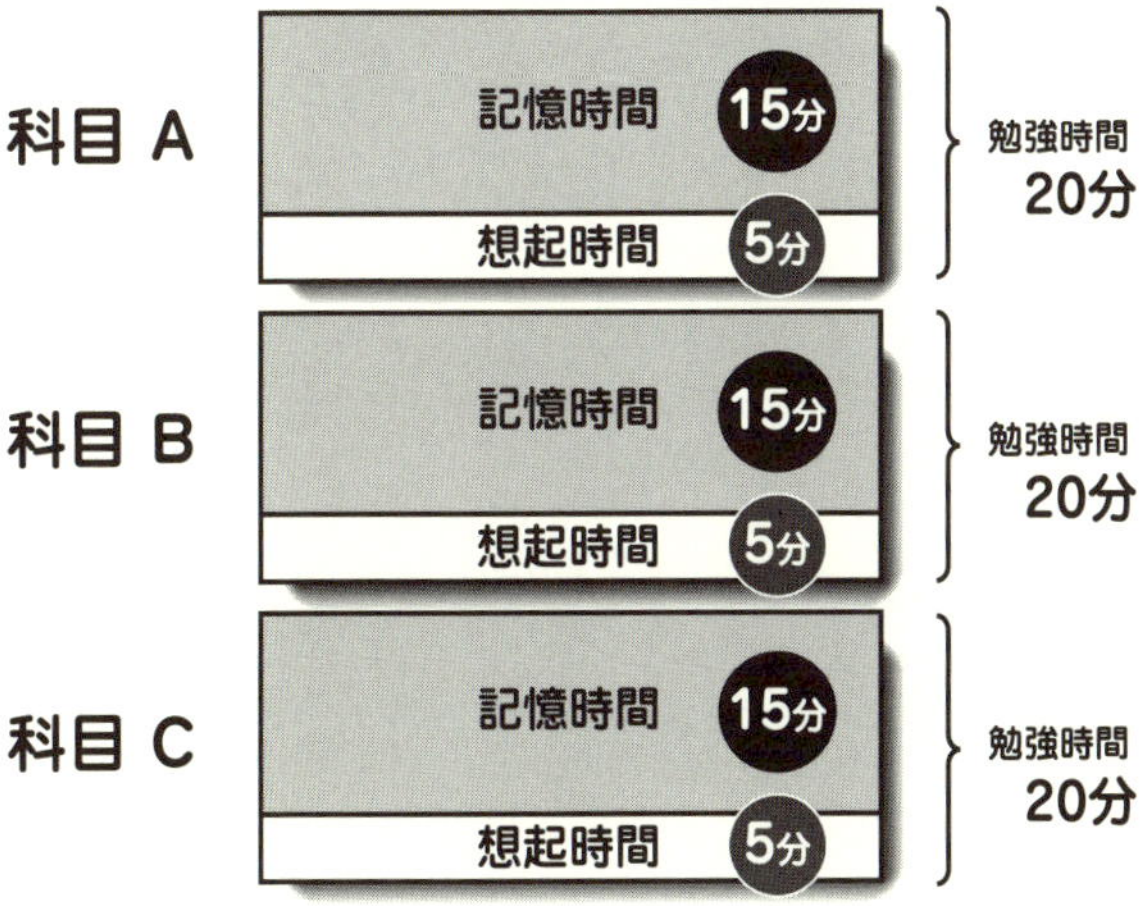

二十五分間、想起時間が五分間（割合は変えてもかまいません）、勉強科目は二科目となります。

三分割する場合は、勉強時間は二十分間、記憶時間が十五分間、想起時間が五分間、勉強科目は三科目です。

◆「やらねば！」より「やめたら？」で発想しよう

ここで、一時間二分割二科目の勉強のエクササイズをしましょう。

わかりやすいように、次の空欄に記入してください。

①（　　）を（　　）ページから（　　）ページまで勉強する

記入したら、そのページを二十分間勉強します。

そして二十分間たったら、たとえ途中でもピタリとやめ、テキストを閉じて、五分間、今やったところを思い出せる限り思い出します。口に出すもよし、紙に書き出すもよし、必ず想起時間をつくってください。

これも、五分間たったら、ピタリとやめてください。

そして、次の勉強科目にとりかかってください。

②（　　　）ページから（　　　）ページまで勉強する

同じような時間配分で勉強していきます。

私は、このような分割分業の勉強法を、「並行勉強法」と言っています。

並行勉強法は、人によってペースが違うでしょうから、自分に合った形でしていけばよいと思います。

Fさんは、千葉県に住むサラリーマンです。通勤には、会社に着くまで三回乗り継ぎます。家から駅までと、駅から会社までは徒歩なので勉強にあてるのは困難ですが、電車に乗っている時間を見ると、勉強にちょうど手頃です。それで、そのポイントに合わせて、科目を変えて勉強をしているのです。

Fさんがおもしろいのは、三単位の勉強時間のうち、最初の一単位を、計算問題にあてていることです。Fさんに言わせれば、最初に計算をすることで、勉強もはかどるし、一日の頭の回転力が非常によくなるということでした。

このように、人それぞれのリズムがあり、工夫があるわけですから、ご自分に合わせた分割分業を発見するのがよいと思います。

時間を有効に使うためにもう一つ大切なのは、定時になったらピタリとやめる思いきりのよさです。

私は、思いきりのよさを、速読で身につけました。

速読では「一分間速読」とか「三分間速読」などの練習をします。目標のページまで、読めても読めなくても、時間がきたら、そこでピタッとやめなければなりません。はじめは目標に達することがまったくできず、「チクショー！」と悔やしい思いをします。それが、「次は必ずやるぞ」とモチベーションを高めるのです。それをくり返すうちに、目標までコンスタントに達するようになるのです。

一般に、人間は、時間通りにピタッと終わらなければ、あとはズルズルとなりがちです。そんな非能率的な時間をすごすより、目標に達していなくても、時間がきたらピタリとやめましょう。思いきりのよさが、集中力やモチベーションをより高め、時間効率を上げていくことを忘れないでください。

◆時間をさらに多面的に使うために

ちなみに、あなたは一カ月に何冊、本を読んでいますか。

「一冊も読まない」という人が増えています。これは逆に考えれば、本を読む人の価値が上がっているということです。野心のある人はたくさん本を読みましょう。

●勉強時間の割り振り●（Fさんの場合）

家	～	A駅	（約20分間）
A駅	～	B駅	（約15分間）
B駅	～	C駅	（約30分間）
C駅	～	D駅	（約15分間）
D駅	～	会社	（約10分間）

Fさんは、この時間を勉強に利用して、自分の科目を当てはめていきました。

A駅	～	B駅	―― 計算問題
B駅	～	C駅	―― 生物
C駅	～	D駅	―― 英語

おもしろいのは **計算問題** を最初の時間に設けているところです。
これは、自分の頭の回転力をよくするためにやっているということでした。

ただ、同じ読むなら、目標を決めて読んだほうが効率的です。
目標の決めかたの例をあげてみましょう。

①年間三百冊以上
図書館などを利用し、児童書から専門書まで、あらゆる分野の本を読みまくります。

②ベストセラー読破
毎月のランキングを見て、話題の本には必ず目を通します。

③駅の売店の雑誌を全部読破
駅で買える週刊誌、マンガ、新聞は全部に目を通します。コミック誌の欄外にある「豆知識」まで読む人もいて、月の雑誌類購入代は軽く十万円になるといいます。

④興味のある本だけ三冊
多読はしないが、興味のある本にしぼって、毎日欠かさず三冊は読みます。

⑤一日一冊読破
①と似ていますが、ペースを一定に保ちます。「児童書は読まない」「専門書は除く」など、ジャンルの選定は人さまざまです。

⑥辞書のみを愛読
部屋は辞書だらけ。江戸時代や明治時代などの辞書もあって、暇さえあればそれを読ん

でいる人を知っています。「辞書は読みものとしておもしろい」と言うのです。

私は速読を教えている関係上、いろいろな「読書の達人」に出会います。

その人たちに共通するのは、「併読」と「意欲」です。

限られた時間でたくさん読むには、併読しかありません。たとえば私の場合、読書時間は、おもに次の五つです。

①起床時のトイレタイム
②出勤時の電車の中
③昼休み
④帰宅時の電車の中
⑤就寝前のふとんの中

この五つの時間帯に、それぞれ別の本を読みます。いずれも十五～三十分間の時間がとれますので、結構、読み進むことができます。

一度、63ページの表を参考に、「勉強時間」「読書時間」を分けて書き出してみましょう。いつ勉強し、いつ本を読み、いつ休んで、いつ遊ぶのかを書き出すと、意外な読書時間が必ず見つかります。

また、意欲については、1章でやったような目的意識をしっかりと持つことです。

「みんなも」発想を嫌え

◆チャンスは「人と違う」ことにある

時間差出勤による時間活用をする人がいます。

ほんの三十分間、早く家を出るだけで、ラッシュアワーは避けられるものです。静かな車内で座席を確保し、読書やリラックス、イメージトレーニングをします。三十分間が、一時間にも九十分間にも使えます。

勉強にも、「時間差勉強法」があります。

標準的な生活リズムから、少し行動をずらす「時間差行動」をするのです。

多くの人は、毎日やることがびっしり決まっていて、新しいことを始める時間がつくりにくいと思うものです。そんな場合でも、たとえば、朝六時三十分だった起床時間を六時にすれば、三十分間の時間を簡単につくれます。

これが、時間差行動です。

夜は遅くまで仕事をしますし、とかく不規則にもなりがちです。しかし、朝なら、確実に時間をとれるでしょう。

ただし、今の目いっぱいの時間の中から、新しい時間を強引につくり出すのは、簡単ではありません。ちょっとした発想転換が必要になります。

それは、「人と違うことをする快感を知る」ことです。

時間差行動には、人が八時出社なら、「私はあえて三十分間、早く出社する」とか、人が十二時に寝るなら、「私はあえて一時に寝る」とか、人が八時間寝なくては不足に感じるなら、「私は五時間でも不足を感じない」とかいった「人と違うこと」が必要です。それを負荷と思い、苦痛に感じては、長続きしません。「人と同じことをするなんて、つまらない」と思うくらいの発想転換をしましょう。

これは、戦国武将の伊達政宗に似た感がします。

政宗は、ある高僧の教えによって、「人が横になって寝るなら、俺は座って寝る」「人が痛いと言うなら、俺は痛くないと言う」などと、人と違うことをすることによって自分の尊厳を高めた武将です。

時間差勉強法は、そんな発想転換ができてこその勉強法といえます。

しかし、いったん発想転換ができれば、その効用はきわめて大きなものがあります。

人と違うことに快感を感じるようになれば、「失敗すれば人は落ち込むが、私は落ち込まない」「困難にぶつかれば人はあきらめるが、私はあきらめない」といった人生哲学が自然に身についてきます。人が苦痛や困難を感じてたじろぐ時に、それを乗り越える喜びを感じ始めるのです。

勉強もそうです。

「勉強は大変だ、苦痛だ、努力だ」から「勉強は楽しい、おもしろい、喜びだ」に変わるでしょう。

時間差勉強法は、勉強の質を高めるのです。

1章で紹介したAさんも、時間差勉強法を実践した一人です。

朝六時半に起きれば会社に間に合うのに、資格試験を目ざしてからは毎朝五時に起床して勉強したといいます。「なぜ?」と問う息子に「俺には時間がないからだ」と言ったのですが、その時、彼の心の中では「人はこのまま人生が終わってもよいと思っているかもしれないが、俺はこのままでは終わりたくない!」といった言葉がこだましていたといいます。

◆わからない時は進むか？ 止まるか？

時間差勉強法と、「勉強時間＝記憶時間＋想起時間」の公式を組み合わせた「前倒し勉強法」を実践すれば、さらに効果的です。

前倒し勉強法とは、「来週やるべきことを今週のうちにやろう」「来月の予定を今月すませよう」「一年間かかる勉強を二〜三カ月で片づけよう」という欲ばりな方法です。一例を、79ページに図で示しました。

ポイントは目次です。

まず、教科書の目次を見て、全部で何章あるかをつかみます。全部で十五章なら、十五日間で教科書を読み切ります。一日一章という計算です。

「やるべき教科は十教科ある。それを一日で全部できるはずがないじゃないか」というような疑問を感じた人はいないでしょうか。そういう人は、これまで説明した「目標の立てかた」や「時間のチェック」「並行勉強法」を再度、読み直してください。それですべて解決できます。

要は、とにかくどんどん先に進み、結果を先どりすることです。

そのためには、一点だけを心がけてください。

「わからなくてもいいから前に進む」ということです。

これが前倒し勉強法の鉄則です。短時間に試験に合格するとか、専門知識を高速で蓄えるとかいう場合の勉強法です。

もしあなたが、「数学脳をじっくり育てる」ような勉強を望んでいるのなら、この方法は不向きかもしれません。じっくりタイプの勉強は「わかるまで前に進まない」のが原則だからです。

たとえば、数学オリンピックに出る学生が、そうです。

数学オリンピックに出場する中学生の通信簿をテレビで見たことがあります。当然、数学の成績は、五段階評価の「五」だろうと思いましたが、なんと評価は「二」でした。

彼は、学校の成績など眼中にないのです。自分が納得することが勉強なのであり、点数はどうでもよいのです。そういう態度が、数学的な頭脳を育てていくのだと思いました。

しかし、多くの人は、数学オリンピックを目ざしません。短期間で成果を出すことが求められています。ゆっくり、じっくりではまずいのです。

短期ということに限れば、数学でさえ、原理、原則よりも解決パターンをおぼえたほう

●速読を利用した前倒し勉強法●

① どのような科目であろうと、まず「目次」を見て、全部で何章あるかを見る（たとえば15章あるとする）

② 1日1章を目標にして勉強をすすめる（15章なら15日間）
勉強のすすめかたは次の順序で
ⓐ 1回目　第1章を5分で速読
ⓑ 2回目　第1章を○分で重要語句をチェックしながら熟読
（○分というのは、自分の生活と相談して、20分、30分、40分と決めていく）
ⓒ 3回目　第1章を5分で速読
以上の流れを基本にして15日間続ける

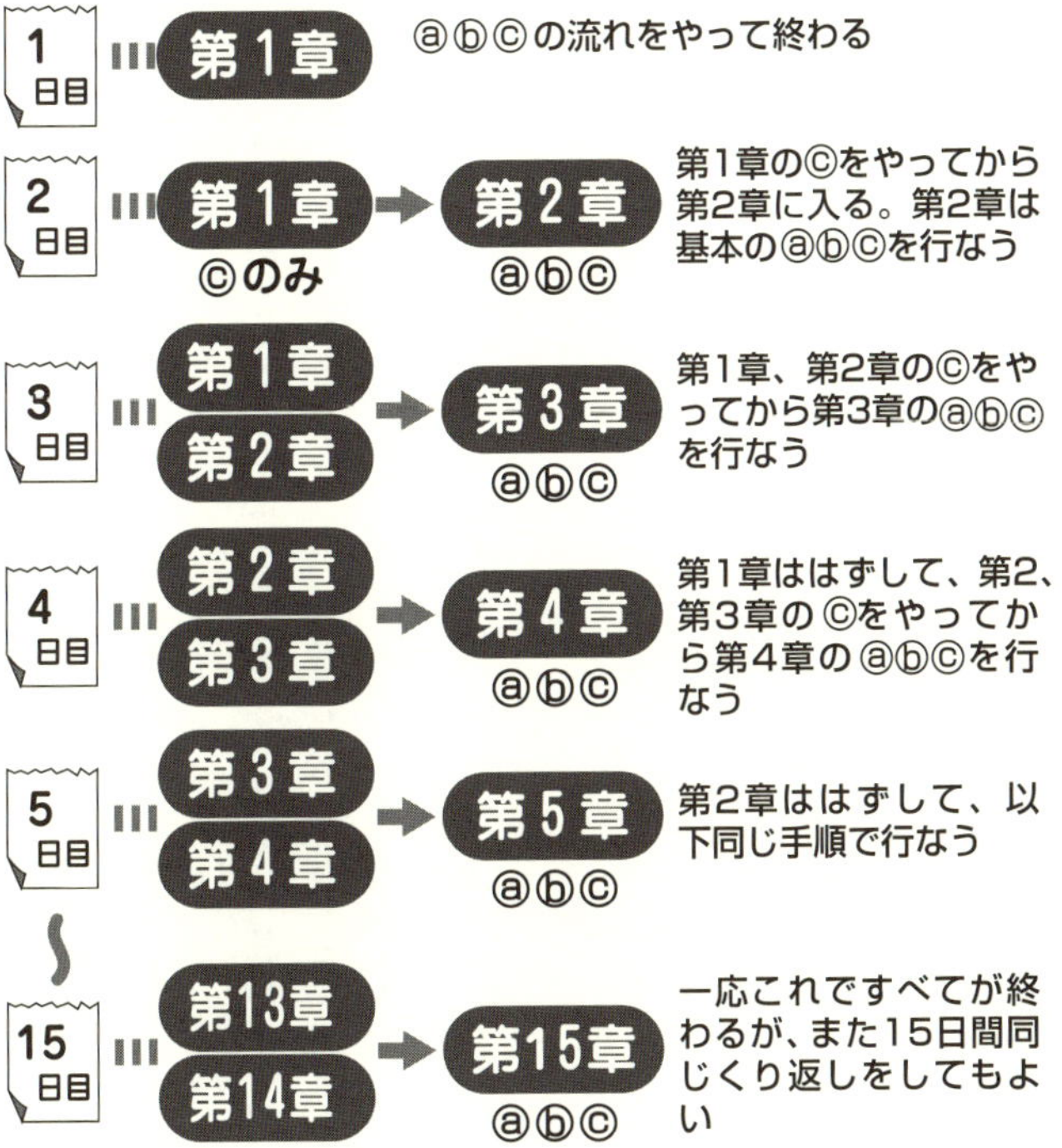

1日目
第1章
ⓐⓑⓒの流れをやって終わる
2日目
第1章
ⓒのみ
第2章
ⓐⓑⓒ
第1章のⓒをやってから第2章に入る。第2章は基本のⓐⓑⓒを行なう
3日目
第1章
第2章
第3章
ⓐⓑⓒ
第1章、第2章のⓒをやってから第3章のⓐⓑⓒを行なう
4日目
第2章
第3章
第4章
ⓐⓑⓒ
第1章ははずして、第2、第3章の ⓒをやってから第4章の ⓐⓑⓒを行なう
5日目
第3章
第4章
第5章
ⓐⓑⓒ
第2章ははずして、以下同じ手順で行なう
15日目
第13章
第14章
第15章
ⓐⓑⓒ
一応これですべてが終わるが、また15日間同じくり返しをしてもよい

が得といえます。スピードを高めるには、途中で引っかかっていては困るのです。「しかし、わからなくても前へ進むと、この先もずっとわからないままにならないだろうか？」と不安を感じる人がいるかもしれません。

心配いりません。

わからなくても、先に行けばわかるようになることがほとんどです。また、教科書を読むのは、一回きりではありません。何度もくり返し読むことになるのが普通です。一回目にわからなかったことも、二回目、三回目でわかるようになります。

だから、専門用語が出てきても、どんどん先へ進んでだいじょうぶなのです。

◆「闘志満々」の落とし穴

私のところに相談に来たGさんは、モチベーション十分でした。「会社から、ある資格を必ずとってほしいと要望されている。自分もその資格をとれば生活が安定すると思う。利害は一致している。ただし試験まで時間がない」と言うのです。

私はGさんと相談しながら、一日の時間配分を、前ページのようにつくり変えました。かなり厳しい計画になりましたが、始めて一カ月は順調で、Gさんも「二十分間一単位の

●今までの平均的生活●

6：00	起床
	食事の仕度
7：30	弁当づくり
7：45	出勤
8：00	A駅　車内　睡眠
8：30	B駅乗り換えC駅着
8：40	会社到着
12：00	昼休み　昼寝
1：00	
6：00	退社
6：10	C駅
6：40	車内　睡眠
6：55	B駅乗り換え
	A駅着　車内
7：10	帰宅　夕食仕度　夕食
10：00	勉強
12：00	就寝

今までの勉強は夜のみの2時間

●ムリな計画●

5：30	起床、勉強①
6：00	食事の仕度
	弁当づくり
7：30	出勤
7：45	A駅
	車内　勉強②
8：00	B駅乗り換え
	車内　勉強③
8：30	C駅着
8：40	会社到着
12：00	昼休み
	休み時間中勉強④
1：00	
6：00	退社
6：10	C駅
	車内　勉強⑤
6：40	B駅乗り換え
	車内　勉強⑥
6：55	A駅着
7：10	帰宅
	夕食仕度
	夕食
9：00	勉強⑦
12：00	就寝

隙間の時間すべてを勉強にし、かつ勉強時間をさらに増やした

勉強でも頭に入るんですね。もうだいじょうぶです」と言い、私は安心していました。ところが、それから二〜三週間後、本人から「ダウンして入院した」という電話をもらったのです。

これは、私のミスといえます。

私は、計画を立てる時に「決してムリをしない」ということを心がけています。若い頃、計画を立てるのが大好きだったのに、私は計画を立てては挫折していました。「ムリな計画」だったからです。

本来、計画とは、成功するために立てるものです。それが、結果的に失敗したとなると、「失敗するための計画」を立てていたことになります。まったくのナンセンスです。

そういう経験を何度もして、私は、ムリな計画は立てないようにしています。なのに、Gさんの場合、本人に「ムリはないですか」「ここはだいじょうぶですか」と確認をとりながら進めたので、つい油断したのです。

◆計画倒れになりがちな人の共通点

計画を立てる時は、次の四つのポイントをチェックしてください。

①どれだけ睡眠をとるか

睡眠時間は人によって違います。八時間とらないとだめな人もいれば五時間で十分な人もいます。自分にとって必要な睡眠時間を、まず確保してください。

②平均的仕事時間

仕事の時間を確保してください。仕事時間を削って勉強時間を捻出する人がいますが、あとでムリがきます。仕事時間は日々変化しますから、平均で考えるとよいでしょう。

③通勤時間の使いかた

通勤時間を、睡眠補填時間にするか、勉強時間にするかは、大きな差となります。

私は、締切が近づくと、朝の五時頃まで原稿を書き、八時前後に起きて仕事に出かける生活になります。睡眠が五〜六時間はほしいので、通勤時間を睡眠補填に使います。必ず座れるわけではないのがつらいところです。みなさんはどうでしょう。通勤時間に座れない場合は、勉強補填時間にするとよいと思います。家での睡眠を少し伸ばし、通勤時間に勉強を回すということです。かね合いを、よくお考えください。

④プライベート時間の使いかた

プライベート時間には、食事、入浴、遊び、趣味、お酒、デート、リラックスなど、さまざまな要素が含まれていて、どんどん削れる気がします。しかし、この時間は、心身を癒し、人生を楽しみ、さまざまなことを考える重要な時間です。削りすぎてはいけません。

半面、この時間の使いかたこそが、時間術の決め手でもあります。「隙間時間」を念頭に、熟考することが大切です。さらに、「何のために」という目的意識が明快なら、「これは犠牲にできるが、これは犠牲にできない」という区分も明確になっていくでしょう。

結局、Gさんは、勉強時間そのものはあまり増やさず、並行勉強法を徹底することで、資格試験に合格することができました。会社の要望期日より多少、遅れましたが、結果オーライとなったのは幸いでした。

ここで、「凡事徹底」を強調しておきましょう。

凡事徹底とは、平凡なことを徹底してやることで、非凡な人間になれるという意味です。「最低徹底」と言い換えてもよいでしょう。

一つには、「あれもこれもやりたい。だが、やるべき勉強のここは削って、最低これだけの勉強をしておこう」と考えることです。プライベート時間や睡眠時間を削ると同時に、勉強の内容も削ろうということです。

もう一つには、勉強時間を確保する上では、「日々いろいろなことがあるけれど、最低これだけはやっておこう」ということを決めることです。

ぜひ、この点を忘れないで実行してください。

準備に時間を使うことで時間を増やす

◆「早める」と「あわてる」を間違えるな

時間をつくるには、まず、「時間の使いかたを見直す時間」や、「計画を立てる時間」をつくることが必要です。「すぐやれ」「急げ！」という、いわゆる精神論では、時間がつくれないどころか、かえって時間をムダにすることがあります。

記憶にも同様のことがいえます。

記憶力を高めるには、「記憶する前に、まず整理する時間をつくる」ことが大切です。

私は、記憶術を教えている関係上、多くの人から、記憶力向上法を聞かれます。

「おぼえにくい条文などを記憶するには、どうしたらいいのですか」

と尋ねられたら、私はまず、

「子どもから『この条文はどういう意味?』と質問されたら、あなたは何と答えますか」

と逆質問することにしています。

これは、わからないことは、おぼえにくいということです。

わかったことは、おぼえられるわけです。

では、わからないことは、おぼえられないのでしょうか。

そうではありません。わからなくても、法則性のあること、自分に結びつけて考えられることは、容易に頭に入ります。

そのためには、情報を整理する時間が必要です。

では、何をどのように整理すればよいのでしょうか。

たとえば、次ページの表を三十秒で全部おぼえてください。

いかがでしょう。おぼえられたでしょうか?

実はこれは、おぼえる必要はまったくないのです。この数字には、ある法則があります。

それさえ見つけることができれば、おぼえなくてもよいのです。

法則は簡単です。

左上の「1」を基点に、まず四すみに「2」「3」「4」が時計回りに配置されています。

●30秒でおぼえて下さい●

30秒たったら1分後に下の表に記入して下さい。ただし上の表は見ないこと。

1	5	9	13	2
16	17	18	19	6
12	24	25	20	10
8	23	22	21	14
4	15	11	7	3

次に、同じく時計回りに「5」が「1」の次に配置され、以下、同じように、「6」「7」「8」が規則正しく配置されています。

もうおわかりでしょう。「9」以下も、同じように時計回りに配置されているのです。

この法則にいち早く気づき、「時計回りになっているだけだ」と頭の中でカチッと整理されれば、おぼえる努力は必要がなくなるのです。

こういう例は数多く見られます。

①何か共通点はないか
②どこか法則はないか
③どこかパターン化したものはないか

この三つを探すようにすればよいのです。むやみに記憶しようとするより、よほど時間が短縮されます。

◆記憶術とは情報整理術

次の文章を十五分間で丸暗記してください。「厚生省」は現在の厚生労働省、「WHO」は世界保健機関のことです。

「塩のとりすぎは体に悪いといわれます。厚生省の栄養調査によると、日本人の塩分摂取量は一日一〇gを目標にずっと減り続けてきましたが、昨年は一二・二gと、また増加傾向にあります。WHOが理想とする一日の塩分摂取量は五〜六gですから、日本人はその二倍もの塩分をとっていることになります。

こうした塩分のとりすぎが、高血圧症の引き金になることは、よく知られていますが、そのほか、塩は動脈硬化や血栓症にも悪影響を及ぼすことがわかってきました。これがさらに脳卒中や心筋梗塞《こうそく》、心不全、腎不全などを引き起こします。つまり塩分のとりすぎは、命にかかわる〈かんじん要《かなめ》〉の臓器に支障をもたらしてしまうのです。

しかし、一方で、たとえば東北地方のように一日一八gという多量の塩分をとっていながら、健康な人もいます。これについては、塩分に敏感な人とそうでない人がいるということがはっきりわかってきました。つまり、塩と高血圧との間には、塩のとりすぎという環境的因子のほか、遺伝的素因も大きく関係しているのです」

（NHK『きょうの健康』家森幸男氏の記事より）

いかがでしょう。

「十五分間で丸暗記するなんて、できっこない」と思いませんでしたか？

けれども、整理法さえ知っていれば、誰でも十五分間あればほぼ完璧におぼえることができるのです。

まず、この文章には三つの段落があることに着目してください。

各段落の頭に、①②③と番号をふってみましょう。実際に番号をふると、「なあんだ。一段落当たり五分間でおぼえればいいんだ」という気になりませんか？

「文章全体を十五分間で」が「一段落を五分間で」となることで、心の負担が大きく減ります。これが整理の基本です。

次には、この文章をさらに整理しましょう。

方法はいくつかありますが、最も簡単なのは、文章を図にすることです。どういう図にするかは人それぞれですが、たとえば次ページのようになります。

図を書くのに、一段落当たり二〜三分間をかけます。図ができたら、一〜二分間、文章を見ながら図を見、図を見ながら文章を読んでいきます。すると、カチッと頭の中に入ります。

この結果、各五分間、合計十五分間で、ほぼ百パーセント近い状態でおぼえられます。

これをただやみくもに整理もせずに丸暗記したら、三十分間かかっても、おぼえるのが困難だと思います。

●文章の記号化《イメージ》●

①

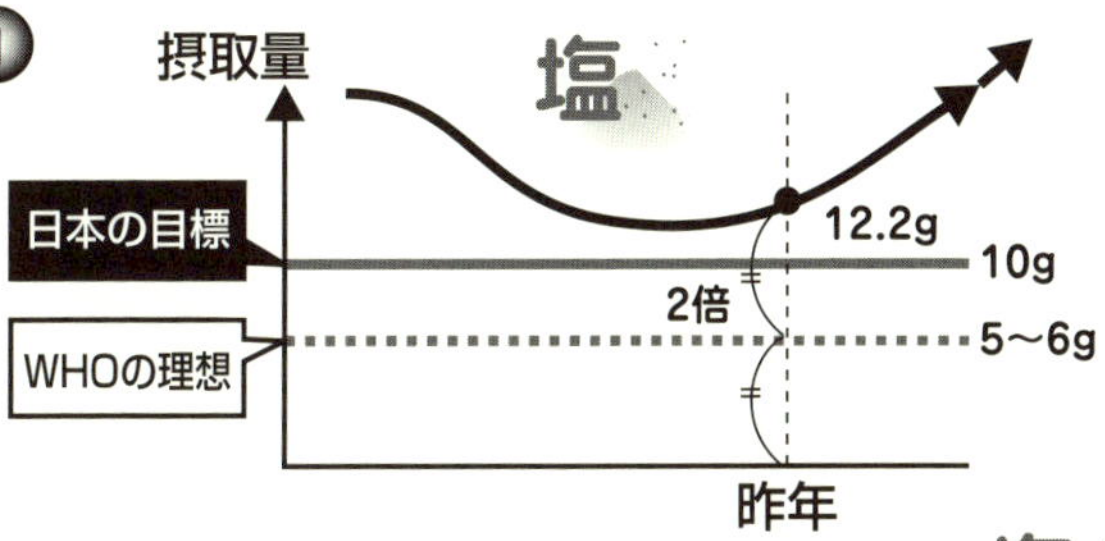

②

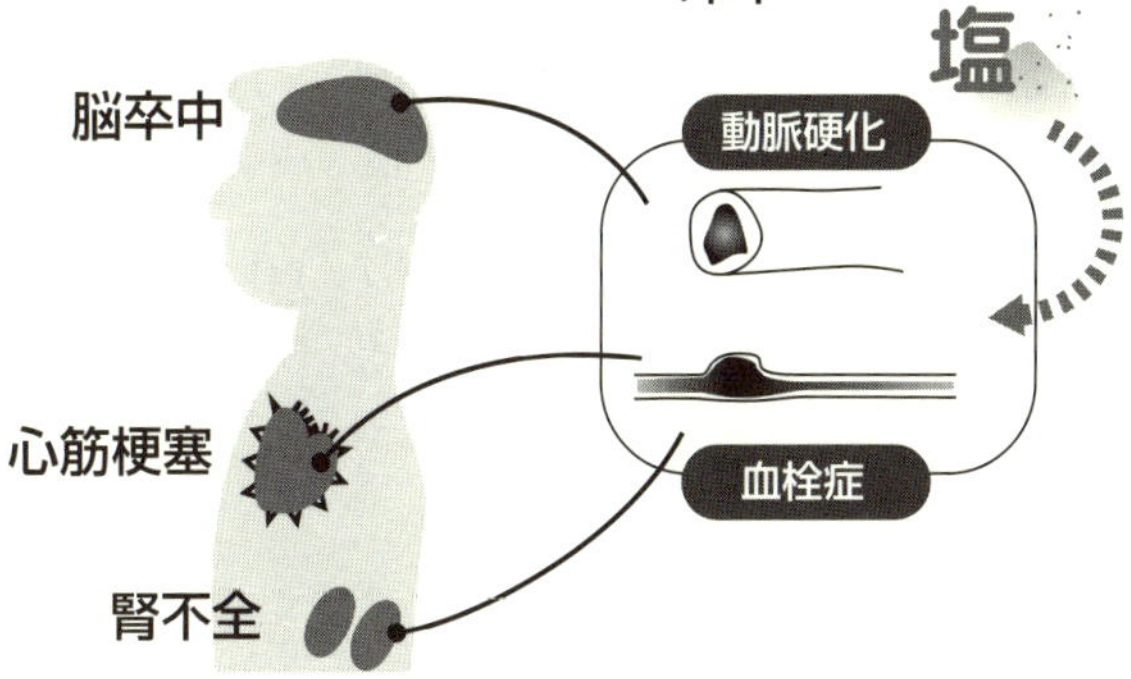

③

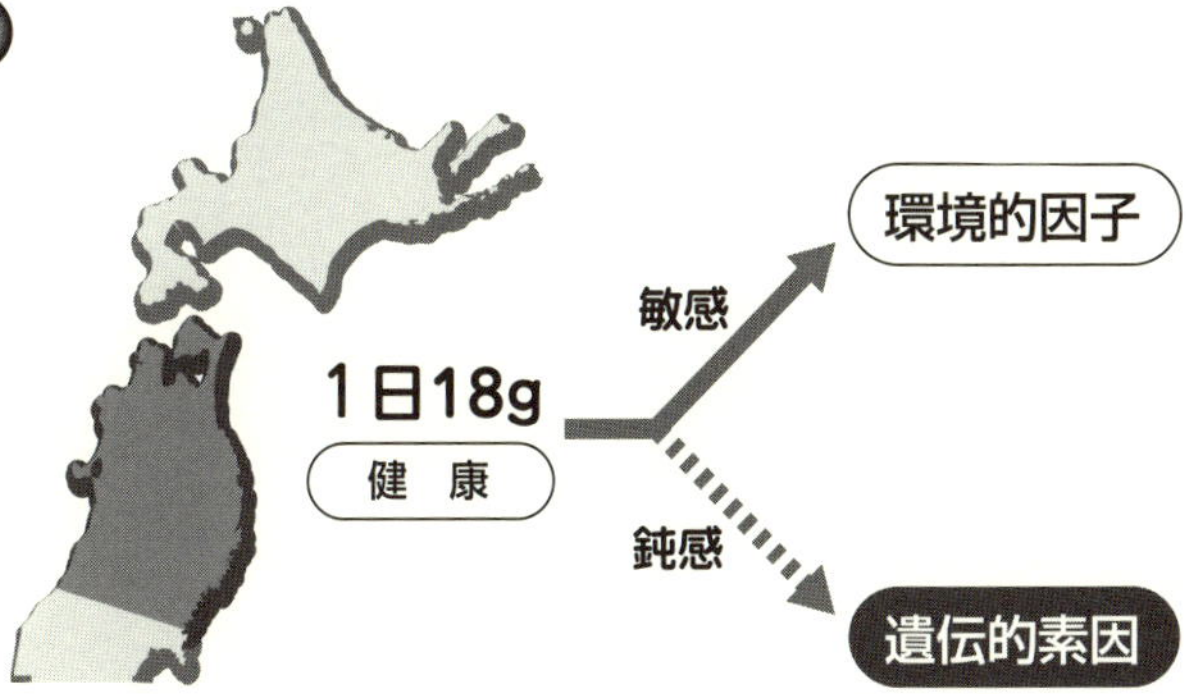

まさに、「記憶術は整理術」なのです。

◆「道具」の使い方

整理は、頭の「記憶ファイル」に、できるだけわかりやすく入力、出力をするために行なうものです。「記憶しやすくする」「思い出しやすくする」の二つの目的があるのです。

そのためには、シンプルな道具やシステムを用いましょう。

①テキストは薄いものを使う

薄いテキストは、すでにポイントのみが整理されています。

その科目の基礎知識が多少なりともある人は、問題集や参考書は、できるだけ薄いものを使ってください。「あれも、これも」ではなく、「この一冊を何度もくり返す」という凡事徹底が重要です。

基礎知識がない人は、サブテキスト（参照書）には厚いテキストを用意してもかまいませんが、メインのテキストは薄いほうを選びましょう。「あれも、これも」では超高速勉強術はできないのです。

理想をいえば、テキストは、参考書と参照書、あるいは問題集が一体になった薄いもの

●パワーポイントを使って自分で問題をつくる●

〈自分の頭の中〉

① 問題文を見て
考える（思い出す）
解答を出す

② ちょっと考えて
解答を見て確認

③ この解答に必要
なその他の知識
を確認

〈パソコン操作〉

① 最初の画面には
問題文が出ている

② クリックすると解答が
右からスライドインす
るようにしておく

③ 次にクリックすると、解
答に必要なその他の知識
が右からスライドインす
るようにしておく

がよいなあと思うのですが、多くの場合は別々にせざるを得ないようです。

②パソコンを上手に使う

研修や講演で、パソコンソフトの「パワーポイント」をよく使います。

その、パワーポイントで、「自分用問題集」をつくったらどうでしょうか。パソコンに慣れている人なら、そんなにむずかしいことではありません。アニメーション機能を使えば、かなりおもしろく勉強ができるはずです。

一日十題つくれば、一年で約三千六百五十題の問題がつくれます。一日五題つくっても、約千八百題です。これだけの問題をこなせば、かなりの試験に対応できるでしょう。

つくりかたは、93ページの図を参考にしてください。表計算ソフト「エクセル」に単純に問題文を入力して、機械的にどんどん答えていく方法もあります。

「そんなことをするより、市販の問題集をやったほうがよほどシンプルじゃないか」と言う人がいるかもしれません。そういう人は、そういう方法をやればよいと思います。自分がいちばんやりやすい方法がベストなのですから。

ただ、パワーポイントでやる方法は、やりかたしだいで一石五鳥、いや、一石六鳥ぐらいになる可能性があります。やる価値は十分あると思います。

3章

「平均点」は上げなくていい！

――自信一つで合格力は十分に高まる

「自信をつける」を指針にする

◆得意と不得意をまず線引きする

「運命は変えることができる」と思いますか。それとも「運命は変えることができない」と思いますか。

私は、どちらも正しいと考えます。運命は変えることもできるし、また、すでに決まっている部分もあると思うのです。

大切なのは、どちらに目を向けるかです。私は、「変えることができる」部分に目を向けるようにしています。

運命は、「命を運ぶ」と書きます。自分の命を運んだところに起こる現象が運命です。

命を運ぶのは、心です。心の持ちかた、置きかたが、命の運びかたを左右しています。

心がプラス思考の人は、命の運びかたもプラスになり、プラス現象に出会いがちになります。心がマイナス思考の人は、命の運びかたもマイナスになり、マイナス現象に出会いがちになります。

「どうして私だけがうまくいかないんだろう」とイライラするのが、マイナス思考です。

「人生、うまくいかないから、おもしろいんだ」と思うのが、プラス思考です。

単純化していえば、マイナス思考の人は、うまくいかない原因を他者に求め、プラス思考の人は、うまくいかない原因を事実に求めています。

どちらがよい、悪いではありません。心に何をインプットしていくかで、命の運びかたが変わり、運命が変わるわけですから、「運命は自分の心の鏡である」ともいえるのです。

いきなり運命について考察したのは、勉強にも同じ原理が働いているからです。

「勉強しているわりに成績が上がらない」とか、「勉強したのに試験に受からなかった」とかいう人がいます。

なぜでしょうか。

「能力だ」「環境だ」「偶然だ」などとあげつらうことはありません。要は、成果が上がる勉強をしていなかっただけのことだと思います。

そうです。成果が上がる勉強さえすれば、万事オーケーなのです。

では、具体的にどうするか。それを考えていきましょう。

まず考えるべきことは、何が得意で何が不得意かです。どの分野の理解が深く、どの分野の理解が不足しているかを、まっすぐ具体的に明確に出すことです。

左の図を参考にして、それを明確に出してください。

ここを明確にせず、やみくもに計画を立ててはいけません。空振りに終わる公算が高くなります。

得意、不得意が明確になったら、これまでの章で説明した「時間の使いかた」を応用して、あとは具体的に実行に移すだけです。

◆「アメ」をはじめになめるか、あとにするか

学生時代には、不得意分野の克服をやかましく言われたものです。しかし、一概にそれがよいとは言い切れません。

H君は劣等生でした。成績がよくないから、ふてくされて勉強しない。勉強をしないから成績がますますダメになる悪循環をくり返していました。

●得意と不得意の明確化●

① 必要な科目を全部書き出す

-
-
-
-
-
-
-
-

② 科目別、得意な分野（別紙に書き足して下さい）

-
-
-
-

③ 科目別、不得意な分野（別紙に書き足して下さい）

-
-
-
-

④ 不得意克服の優先順位を決める

①
②
③
④

ところが、学校の文化祭で、彼がつくったビデオを公開したところ、評判がとてもよく、友人や先生から大絶賛されました。

このできごとが、H君のやる気と自信に火をつけたようです。ビデオづくりと勉強とは直接つながりがないにもかかわらず、以来、勉強の成績までもがグングン上がっていったといいます。

このように、自信は大きな力になるのです。

それだけに、不得意分野を克服しようとして達成できればよいのですが、達成できずに、逆に自信を失なったとしたら、結果は悲惨なものになると思います。

勉強する時も、得意分野を優先するか、不得意分野を優先するかは微妙な問題です。「自分のタイプ」を基準に決めてください。

①プラス思考が強いタイプ

不得意分野を優先します。不得意分野の克服を中心に勉強をするのです。困難にぶつかってもへこたれにくいタイプですから、だいじょうぶです。

②マイナス思考が強いタイプ

得意分野を優先します。自信をつけることが先決です。得意分野ばかりをやり、勉強のおもしろさ、楽しさを十分に味わいましょう。やがて不得意分野にも目を向けていけるはずです。「そろそろ不得意分野にも手をつけるか」と思えるまで待ってよいのです。

③何が得意で、何が不得意かわからないタイプ

テキストの目次から入ることです。すでに紹介したように、全部で何章あるのか見て、機械的に計画にはめ込みます。そして、最後までやり通すのです。どの項目がわかり、どの項目がわからないのかを整理してから、本格的な計画づくりをしてください。

◆「順を追って」がベストではない

新宿に住んでいた頃、西口地下道を通るたびに、私は、ちょっとした遊びをしていました。

前を歩く人の歩きかたを、まねるのです。

大股で歩く人がいれば大股で歩いてみます。肩をいからせて歩く人がいれば、肩をいからせて歩いてみます。ひそひそと歩く人がいれば、ひそひそと歩いてみます。

おもしろいことに、歩きかたを変えると、気持ちが変わるのです。

大股で歩くと、自信が満ちた気持ちになります。肩をいからせて歩くと、横柄な気持ちになります。ひそひそと歩くと、神経質な気持ちになります。

ここから、「歩きかたをまねした相手は、こんな性格だな」と推測することができるようになりました。

実際、大股で歩く人に追いついて表情をうかがうと、かなりの確率で自信家の表情でしたし、肩をいからせて歩く人の多くは世界を敵に回している表情でした。ひそひそ歩く人はたいてい自信なさそうだったのです。

心の姿勢は体の姿勢をつくり、体の姿勢は心の姿勢をつくるのです。

ですから、自信のない人は、「形から入る」方法を忘れないでおきましょう。内面を変えるより、形から入ったほうが、むしろ簡単なのです。

たとえば、自信のある人の歩きかた、しゃべりかた、服装などをまねるだけで、自信がついた気になるものです。

勉強もまた同じです。

たとえば英語の苦手な人は、克服のための順序を、「単語をおぼえてから」とか、「文法が理解できさえすれば」などと考えがちです。「基礎を学び、英語の意味がわかるようにならなければ、ヒヤリングをしても、リーディングをしても、意味がない」と考えてしまうのです。

そのためヒヤリングやリーディングから遠ざかり、ますます英語が嫌になり、英語克服

●形から入ればいい●

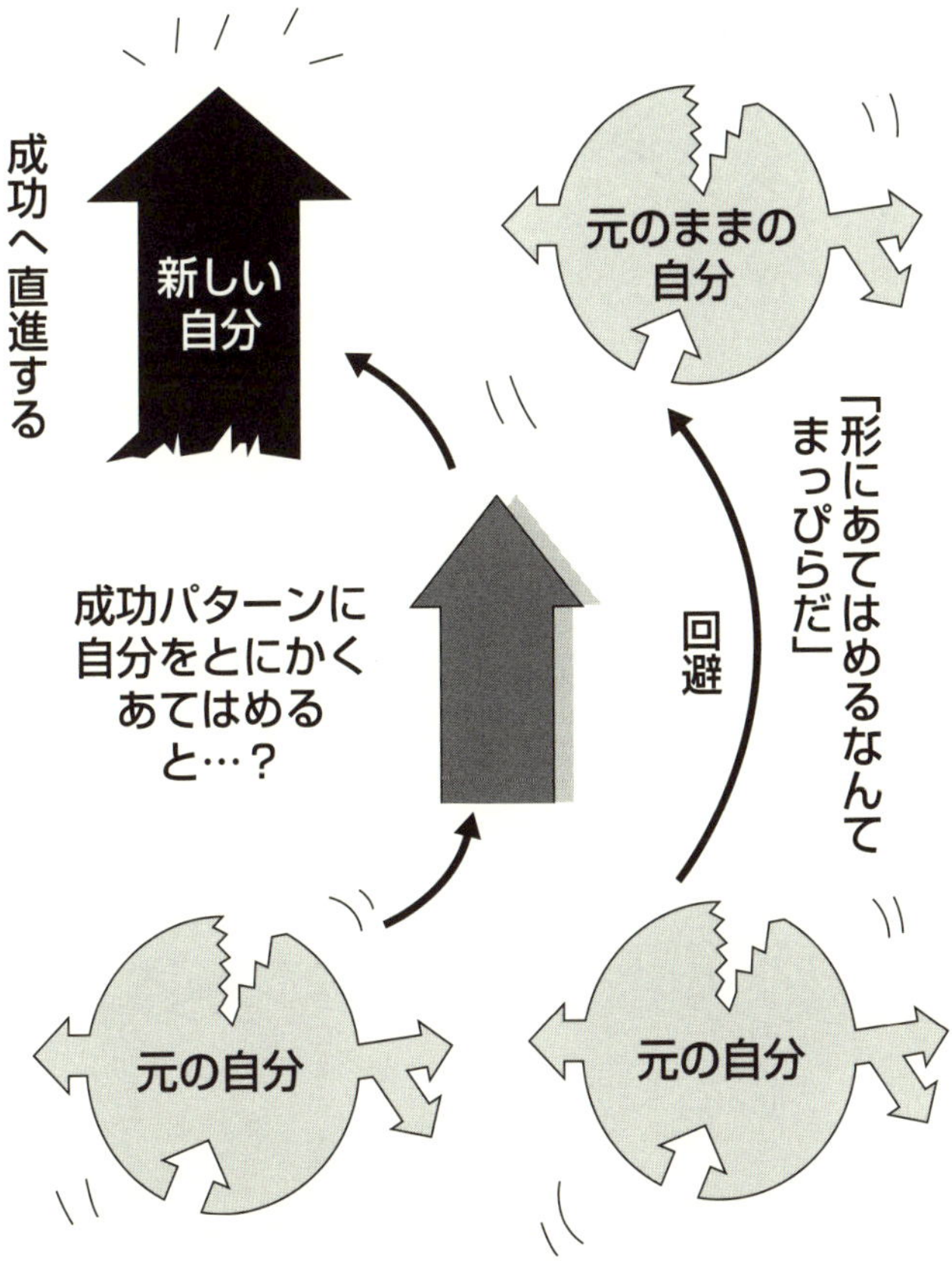

ふらふら定まらない「自分」を
どうするか？

ができなくなるというマイナスの循環に陥ります。

もっと、形から入ればいいのです。

たとえば、意味がわかってもわからなくても、英語の本を読むのです。チンプンカンプンでも、英語を聞き続ければよいのです。

「そんなことはムダだ」と思うかもしれません。

しかし、たとえば津本陽氏の歴史小説を読んだことがありますか？　織田信長を描いた『下天は夢か』とか、豊臣秀吉を描いた『夢のまた夢』などを開くと、むずかしい漢字や語句が続き、日本語で書かれているのにもかかわらず、最初は、とてもすらすらとは読めません。

そこで、読めない漢字や意味のわからない語句は、推理したり、飛ばしたりして読み進めるのです。いちいち辞書で調べたりしません。

すると、たちまち小説の世界に魅了されます。プーンと血の匂いがし、土ぼこりが立ち上るような臨場感に、やがて襲われます。私はそれで、津本陽氏の世界に、すっかりはまったものでした。

これは、私だけの体験ではないと思います。

多くの人が、わからない漢字や語句は飛ばして読むはずです。それでも物語の中に入っていけますし、小説との一体感を味わうことができるはずです。

聞く、書くも、勉強も同じです。これが苦手を克服する特効薬です。

◆「完全」のレベルを少し下げよう

「わかったフリをしない」「わかったつもりにならない」——これは、生きかたの大切な基本です。

しかし、「フリ」も使いようです。

苦手に対しては「フリをつくる」ところから入ってかまわないのです。フリをつくることで、「わからなければダメ」「意味がつかめなければダメ」といった否定的な感情を捨てることができれば、効果の上がる勉強が可能になってきます。

私のところに来ていたある高校生は、中国語、韓国語、フランス語、イタリア語など、次々に挑戦を続けていました。「それなら、英語はペラペラだろう」と思うでしょうが、英語は全然ダメでした。むしろ、英語の勉強ができないから、ほかの外国語に逃げていたというのが、正直なところです。

しかし、英語から逃げたい一念で、中国語ができるフリ、韓国語が読めるフリ、フランス語が話せるフリ、イタリア語が聞きとれるフリを何度も何度も、必死で練習していくうちに、完全ではないものの、それなりに簡単な会話ができるところまでいくではありませんか。

これには、私もおどろきました。

やはり「継続は力」です。

わからなければわからないままにしておけ、と言っているのではありません。わからなくてもいいから、めげずに継続していくことだ、そうすれば、わかる日がやって来ると言っているのです。

「しかしねえ。やっぱり、わからないまま前に進むことはできない」と言うかたがいると思います。

完全主義の人です。

そういうかたは、気をつけなければならないと私は思っています。「完全」にたどり着ける人は、この世に一割も満たないからです。多くの完全主義者は、自分の完全主義のために挫折していることが多いのです。

私がそうです。私は完全主義で敗北した人間の一人だったのです。

完全主義は決して悪いことではありませんから、捨てる必要はありません。ただ、完全

●わからなくてもやるのが大事●

わからなくても
やれば成長して……
壁を乗り越えられる
ようになる！
わからないからと
やらなければ
ますますできなく
なってしまう

のレベルを下げる必要はあります。

百点満点だとしたら、まず三十点を完全にとることに集中しましょう。次は五十点を完全にとることに、その次は七十点を……という考え方にすればいいと思います。

いったん計画を立てたら絶対変えてはならないと、完全主義になる必要はありません。計画を実行していく段階で、計画変更という微調整が必要だと思います。

ただ、しょっちゅう変更していては、何のための計画だったのかわからなくなります。大原則としては、計画を立てたら最後まで変えないというのは正しいのです。

途中で変更する可能性があるとわかっているのなら、計画の期間を短めに設定しておくとよいと思います。

1章の「十枚のコイン」でおわかりのように、「最後に勝つためにはどうしたらいいのか」を絶対に見失ってはいけません。計画をチョコチョコ変えていくと、「最終的にどうなるのか、どうしたいのか」が見えなくなりがちなのです。

ですから、

①一年間の大まかな計画を立てて、それは原則として変えない

②年間計画の下に、三カ月単位、一カ月単位の短期計画を立てて、それは修正してもよい

というようにするとよいでしょう。

頭が固くなったと誤解している人に

◆力量は頭より心についていく

俗に、成績のよい人を「頭がよい人」と言い、成績の悪い人を「頭が悪い人」と言います。「頭」が「脳」をさすとしたら、この言いかたは間違いです。

人間の脳の力に、差はいっさいありません。

成績のよし悪しは、頭（脳）のよし悪しではなく、勉強法のよし悪しの差なのです。

成績のよい人は、成績が上がる勉強法をしており、成績の悪い人は成績が上がる勉強法をしていないか、もしくはまったく勉強をしていないだけのことです。

だから、ある人と、こういう会話も交わしたわけです。

「椋木さんは、成績の悪い人が『東京大学に入りたい』と言ったら、合格させることができますか」

「もちろんできます」

「本当ですか?」

「私の言う通りに勉強をすればね」

私は学習塾の講師ではありませんから、科目を教えることはできません。しかし、どんな科目でも、基本的な勉強法は同じです。それは教えられます。

そして、教えられた通りに勉強すれば、どんな難関大学、難関資格も突破できます。

「受験は要領」「試験は記憶」という前提に立てば、行きたい大学に合格させることも、とりたい資格をとらせることも、むずかしくありません。

問題は、本人が、次の三つを持てるかどうかだけです。

①私の言う通りに本人がやり抜こうとする意欲

②意欲を保ち続ける意志

③実行する力

つまり、理解力は頭の状態より心の状態が決めているのです。

心の状態の中でもとくに勉強力を左右するのは、好奇心だと思います。

◆好奇心を広げるために学ぶ

ニュートンは、リンゴが落ちるのを見て「はて？」と考え、重力を発見したといわれています。ガリレオ・ガリレイは、教会のシャンデリアが揺れるのを見て「はて？」と疑問を持ち、振り子運動の等時性を発見したとされます。アンリ・ファーブルが大著『昆虫記』を書いたきっかけも、小さな昆虫の動きを見て「はて？」と思ったのがきっかけだったようです。

この「はて？」という好奇心が、頭脳を活性化し、能力を飛躍的に伸ばすのです。

私のような凡人は、ボタ餅であろうがリンゴであろうが、落ちるのを見ても何の疑問も感じません。心の置きどころが平凡なのでしょう。

ＩＱ（知能指数）でいえば、ニュートンは一二五だったといいます。「並の上」といったところでしょう。

私は、中学一年の時のＩＱは一三六でした。国民の二パーセントしかいない高レベルです。ところが、幾多の挫折の果て、二十三歳でＩＱを調べたところ、何と九〇でした。凡人にも達しない「並の下」です。

私は思ったものです。脳という臓器も、使えば発達し、使わなければ退化するのではないかと。私のＩＱが、中学一年生の時をピークに下がり続けたのは、要は、勉強をしなかったからです。

天才たちの多くは、私の逆を行っているのです。

エジソンがその見本です。小学時代など、学校の教師から「頭の悪い子」と決めつけられていましたが、ご存じの通り、歴史に名を残す大発明家になりました。

脳力は使えば進化するのです。

俗に、頭は年齢とともに固くなるといいますが、とんでもない誤解ではないでしょうか。

◆頭脳の眠りを覚ます

私は携帯電話のメールが、長い間使えませんでした。「使う脳力がなかった」のではもちろんありません。ただ、使おうとしなかったのです。

よく、「年をとると機械に弱くなる」ともいいます。あれも、脳力が衰えるからではありません。「めんどくさい」とか、「こわれないか」とか、「もう新しい器機は必要ない」とかいった心の作用の結果です。

●今の自分の最大関心事は？●

1 あなたの「なぜ？」ベスト10

① (　　　　　　　　　　) ⑥ (　　　　　　　　　　)
② (　　　　　　　　　　) ⑦ (　　　　　　　　　　)
③ (　　　　　　　　　　) ⑧ (　　　　　　　　　　)
④ (　　　　　　　　　　) ⑨ (　　　　　　　　　　)
⑤ (　　　　　　　　　　) ⑩ (　　　　　　　　　　)

2 あなたの「なぜ？」ベスト５

① (　　　　　　　　　　) ④ (　　　　　　　　　　)
② (　　　　　　　　　　) ⑤ (　　　　　　　　　　)
③ (　　　　　　　　　　)

3 あなたの「なぜ？」ベスト３

① (　　　　　　　　　　　　　　　　　　　　)
② (　　　　　　　　　　　　　　　　　　　　)
③ (　　　　　　　　　　　　　　　　　　　　)

4 あなたの「なぜ？」ベスト１

これが出たら、徹底的に調べてみることです。
眠っていたあなたの脳力が発動します。

つまり、「固くなった」のは頭ではなく、心なのです。

これは打破しなければなりません。

好奇心や関心が落ちるのが、脳にとっては最も悪いことですから、頭を固くさせたくない人は、「なぜ?」と疑問を持つ練習をしてみましょう。

まず、思いつくままに「なぜ?」を最低五十ほど書き出してください。

たとえば、「なぜ、コマは回るのか」「なぜ、ハリは布を通すのか」「なぜ、人は点数にこだわるのか」など、何でもかまいません。どんなささいなことでもよいのです。五十といわず、百、二百になってもかまいません。

次に、113ページの図のように、その中から「なぜ?」のベスト10を選んでください。

次に、それをベスト5にしぼります。

さらに、その中からベスト3を選んでください。

最後に、ベスト1を選び出します。

このベスト1が、今あなたの最大関心事です。これを、あらゆる手段を使って調べてみましょう。ウェブサイトを使っても、人脈を駆使しても、図書館にこもってもかまいません。知的な遊びのつもりでおやりください。眠っていた頭脳が動き出します。その動きは、あなたの人生を劇的に変える可能性があります。

◆心に巣食う「勉強嫌い」をどうするか

記憶術教室に来ていたIさんは、カタカナ語をまったくおぼえられない人でした。

小学校の頃から剣道をやってきたIさんは、武士道の精神から(?)、「日本男子たるものは、カタカナ語をおぼえるべきではない」と考えていました。カタカナ語を見た瞬間、心の扉が閉じてしまうのです。

Iさんの「カタカナ語は見た瞬間、だめと思ってしまうのです」という言葉で、私はある確信を持ちました。「心理的抵抗感が強ければ、知識は定着しない」という確信です。

勉強も同じです。自分に興味、関心のあること、価値のあることは、「ああしよう、こうしよう」と意図しなくても、自然に知識や情報が吸収できます。

逆に、社会的にどんなに価値のある重大事でも、自分に興味、関心、価値がなければ、なかなか頭に入らないものです。

一般に、勉強は苦痛をともなうものです。知識や情報を吸収しにくいのは当然です。ですから「勉強をしているわりには成績が上がらない」という人は、まずは、自分の心の中にある心理的抵抗感がどれほどのものなのか、知る必要があると思います。

◆勉強に「快楽システム」を組み込もう

苦痛であるはずなのに、楽しい、おもしろいと感じられるものがあります。その典型が、マラソンなどのスポーツです。

選手たちが顔をゆがめ、体を酷使して苦痛を感じているはずなのに、がんばれる理由の一つは、脳内でドーパミンやエンドルフィンなどの快感物質がたくさん出ているからだといわれています。

実際、マウスにドーパミンを注射すると、いつまでも運動をし続けます。走り続けていると急に体が軽くなる「ランナーズハイ」になるのも、快感物質の作用です。

苦痛なのにがんばれる別の理由に、苦痛の向こうには「栄光」があるからだということもありますが、それはごく一部の人間のことでしょう。ほとんどの人は、「気持ちがよくなるから、続ける」のです。ギャンブル依存症なども、原理は同じです。

勉強も同じように「ランナーズハイ」ならぬ「ラーニングハイ」になるコツがないものでしょうか。

実は、あるのです。

●勉強は「ラク」が大事●

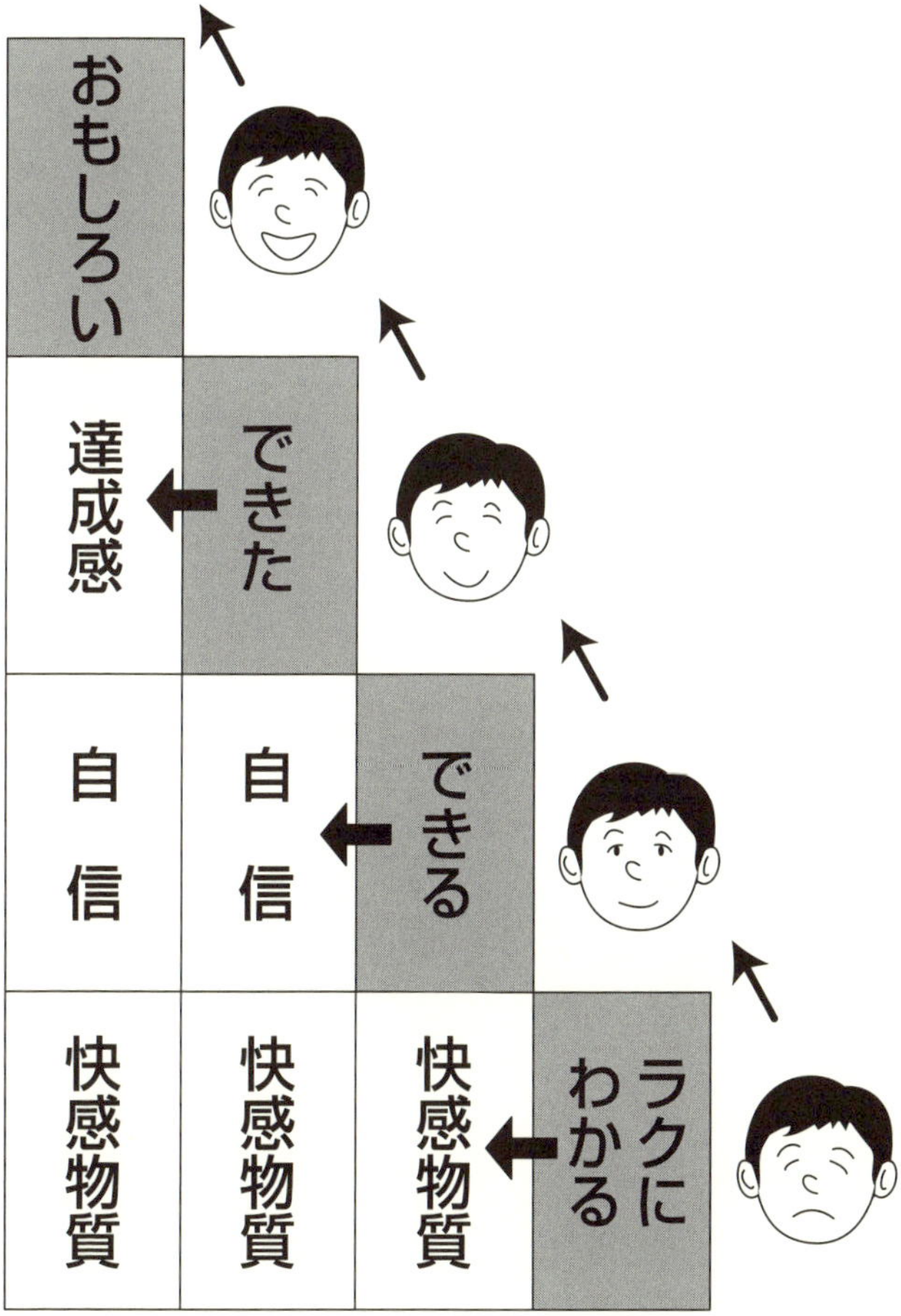

自分の勉強の中に「楽しいことは続けられる」システムをつくればいいのです。

①「わかる」から始めるシステム
②「できる」という自信を持たせる流れ
③「できた」という達成感を持てる仕組み
④最後に「おもしろい」という興味と動機をうながす

これに沿って勉強をしていけば、ランナーズハイのような快感物質が脳内に出て、「勉強は大変だけどやりたい」「勉強はおもしろい」といった感情を持つようになるのです。

◆小さな積立が大利息をもたらす

もっとくわしく説明しましょう。

①「わかる」

勉強に対する抵抗感の強い人は、この「わかる」という段階から勉強を始めたほうがよいと思います。勉強に慣れる、勉強グセをつけるという意味においても、このステップは重要です。

これは、心理療法の「系統的脱感作法」に似ています。勉強嫌いな子に「勉強をしなくてもいいから、勉強机についたらお菓子を与える」というようなやりかたです。

ダイエットにも同じ方法があります。第一段階を、「毎日、体重計に乗るだけでよい、体重を記録しなくてもよい」というところから始めるのです。うまくステップを踏めば、一年で十～十五キロのダイエットに、リバウンドなしに成功できます。

勉強も、「むずかしいことはしない」「わかるところからやる」のが、ステップアップへの第一歩です。

②「できる」

「できる」という経験は、やがて「確信」となり、「自信」となります。自信は自己信頼の略です。これが持てればしめたものです。

ある日、五十代の女性が相談に来ました。小さい時から「頭が悪い」と言われ続けて、それがトラウマとなっていました。私は漢字検定を七級から受けた自分の経験を話しました。七級は、小学四年生レベルです。彼女はさっそく受験し、当然合格しました。それで調子に乗れたようです。あとは、とんとん拍子で三級まで行きました。

一つ自信を持つと、何ごとにも積極的になるものです。漢字に自信を持ったことから、読書量が増え、知識が増えたためにサークルに出席してもものおじしなくなり、するとリーダーをまかされ……と、その後の彼女の人生は、すっかり変わりました。

③「できた」

「できた」という達成感は次のステップへ進む強い推進力となります。

世にいう成功者たちは、この達成感をたくさん体験してきた人たちです。大切なことは、自己満足でも、何でもいいですから、小さな達成感をたくさん「貯蓄」することです。お金を貯蓄すれば利子がつきますが、達成感の貯蓄にも、同じく「利子」がつきます。

次ページの図の中に、小さな達成感を記入してみてください。各分野に分けて記入していくと、ますます意欲が強まり、やがて大きな目標や願望を達成できるでしょう。

④「おもしろい」

「わかる！　できる！　できた！」というステップごとに、脳内に快感物質が放出されます。こうなると、勉強がおもしろくなります。「不安だから勉強する」という人がいますが、できれば、「おもしろいから、楽しいから勉強する」人になりたいものです。

『三国志演義』の原書をいきなり読もうとして挫折した人がいます。そこで、横山光輝氏のマンガ『三国志』から入りました。次に吉川英治氏の小説『三国志』を読み、ついに、原書を「おもしろく」読破できたそうです。

そのほかにも、おもしろくする方法はいくらでもありますから、工夫してみてください。

●達成感には「利子」がつく！●

空欄に記入します。たとえば「TOEICに合格したい」という目標があれば、それを「大きな目標」に記入して下さい。

そして、そのTOEICに合格するためにどんな小さな達成感を貯金してきたか、下の欄に記入して下さい。

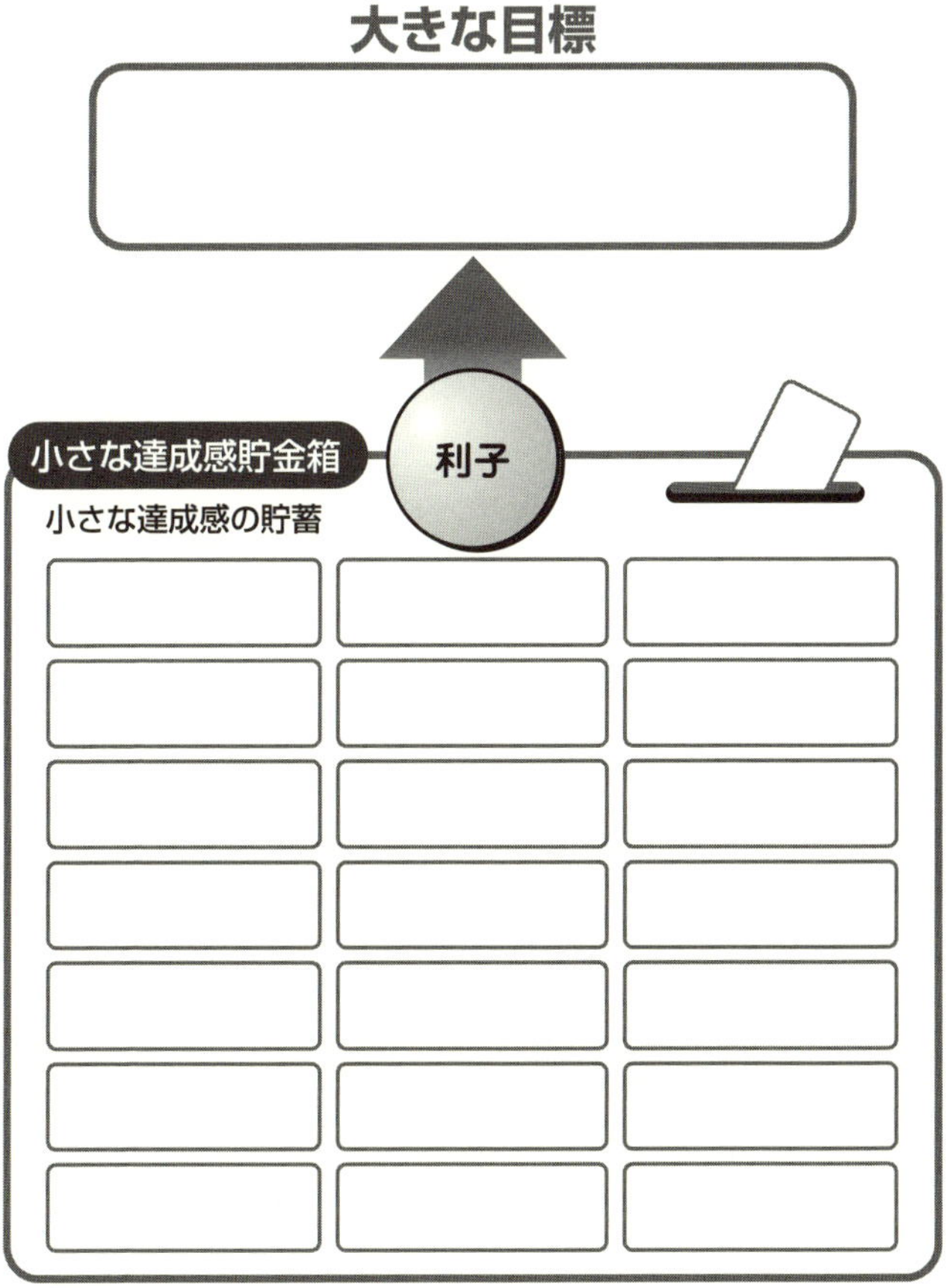

「瞬間理解力」を深めよう

◆イメージできれば理解ができる

次の文章を読んでみてください。

「末法思想における唯物的なアウトラインは、コンプライアンス的要素がありすぎて、すぎたるユートピア助成は、新人のシャープ心に波動する」

どうです？　意味が理解できましたか？

そうです。理解できるはずがありません。これはムチャクチャな文章ですから。

でも、なぜなのでしょう。

文章がまともでないのは、理由の一つにすぎません。最大の理由は、頭の中でイメージ化できないから、理解できないのです。

「理解する」ということは、頭の中で文章なり情報なりをイメージ化できた時に起こる頭脳の働きなのです。

人の話を聞いていて「何を言っているのか、さっぱりわからない」という時、頭の中はまったくイメージができていません。

ということは、理解力と想像力とは密接な関係があることに気づきませんか？　そうです。密接な関係があるのです。

速読教室で、生徒さんによくやる練習があります。新聞の一面にあるコラムを切り抜き、半分に折って、前半だけを読んでもらうのです。そこで、「後半には何が書いてあるか」とか、「どんな結末になっているか」を想像してもらいます。

想像したことを紙に書き、それから後半の部分を読んでもらうのです。

そして、受講生に尋ねます。「自分の想像と、実際に書いてあったものとを比べて、どうでしたか？　①だいたい合っていた、②ちょっとカスった（少し合っていた）、③まったく違っていた、のどれだったでしょう？」と。

まあ、このセリフは、場を盛り上げる遊びの部分です。

自分の想像したものが合っていようと違っていようと、関係ありません。大切なことは想像することです。

想像したからこそ、「だいたい合っていた」とか「カスった」とか「違っていた」とかがわかったのです。想像しなければ、何もわかりません。

つまり、このようなトレーニングは、理解力や読解力を高めたり、洞察力を強化したりすることに役立つのです。

◆「一見ムダなこと」を軽視しない

ある大学教授が、「学生時代に数学の新しい公式が出たら、それまで得た知識を駆使して証明しようとしながらおぼえた」と言っていました。

そんなムダなことをせず、さっさとページを開いて、公式の証明を見ればいいと思います。ですが、その教授はしません。「なぜ、この公式が正しいのかと想像するのが楽しいから」だそうです。

その教授にしてみれば、自分で証明できれば、「やっぱりそうだったか」と、その公式がカチッと頭の中に固定しますし、間違ったら間違ったで、「なるほど、そうだったのか」と、やはり頭の中にカチッと公式が固定していきます。

これもまた、合っていようと、間違っていようと、関係ないのです。要は想像を楽しむことが記憶を固定化し、かつ、理解度を深めるのです。

「ふーん、そうなんだ」と、思うだけではなく、こういうことは、ぜひ実際に試してみてください。

先の、コラム欄を半分に折って後半を想像する練習を一年間続けたJさんという受講生がいました。朝トイレに新聞を持って入り、隙間時間を利用して後半を想像する練習をしたのでした。

その結果はどうだったでしょう。

Jさんは、「おかげさまで行政書士に受かりました」と言ってくれました。

まさか、コラムの練習だけで行政書士の試験に受かるはずがありません。するべき勉強をきちんとしたからこそ合格したわけです。

ただ、コラムの練習を一年間続けたことも、必ず、なにがしかの役には立っていると思います。

余裕のある人は、理解力を深めるトレーニングの一つとして、やるとよいと思います。

ちなみに、新聞のコラム欄は、いろいろな利用法があります。

次に、利用法の一つを紹介しましょう。

◆「新聞コラム」トレーニング

私は昔、朝日新聞なら『天声人語』、読売新聞なら『編集手帳』、日経新聞なら『春秋』毎日新聞なら『余録』といった有名なコラム欄を、毎日、書き写す練習をしたことがあります。方法は、左ページの図を参照してください。

コラムを書き写すと、知らず知らずのうちに、小論文の実力を高めることができます。さらに、一石十鳥ぐらいの効果があります。

①起承転結を自然に身につけられる
②漢字を自然におぼえる
③言葉を自然におぼえる
④時事に強くなる
⑤情報通になる
⑥理解力がつく
⑦文章を書き慣れる
⑧あらゆる課題に対応力がつく

●新聞コラム・トレーニング●（30分を1単位）

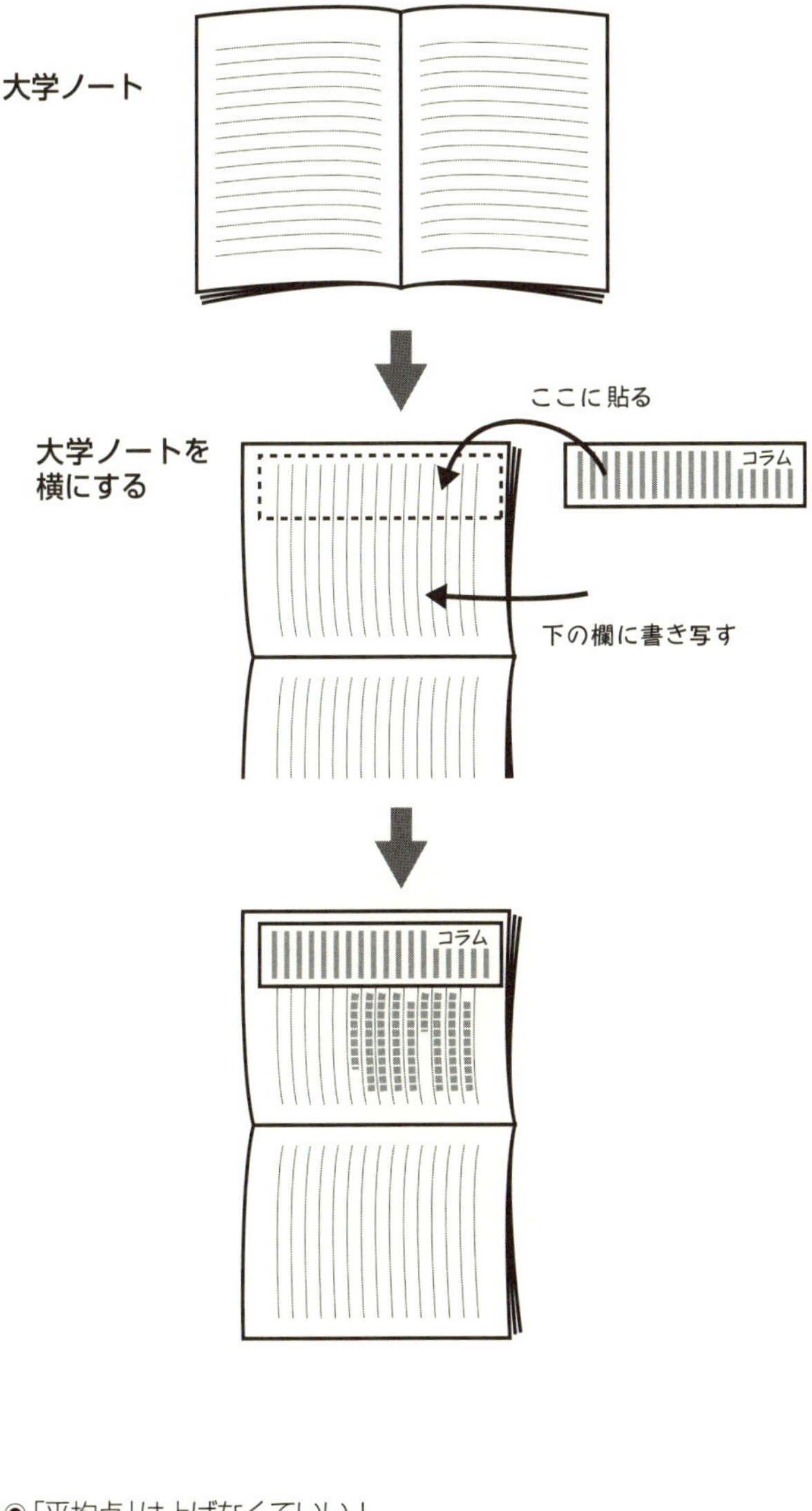

⑨論理力が身につく
⑩洞察力が身につく

ある企業に研修に行った時、研修担当者が私に「先生、いまだに私は続けています」と言います。何のことかといぶかっていたら、「例のコラムの書き写しですよ」と言うのです。四年ぐらい前に、研修で言っていたのを担当者として聞いていて以来、ひそかに実行していたというのです。

「もう大学ノート十八冊になりました。確かに、一石何鳥にもなっています」と言うので、驚きました。しかも、いまだに毎日書いているというから、またすごい話です。

最初は三十分ぐらいかかったのが、今では十五分ぐらいでサッと書けるようになったと言います。

まあ、毎日とは言いませんが、習慣にするとよいと思います。とくに、小論文が必須になっている人は、ぜひやるべきです。わざわざ「小論文の書きかたセミナー」などを受講しなくても、自然と力が身につきますから。

4章

「目次」を暗記せよ

——データは形さえ整えば大量におぼえられる

教科書より問題集が記憶には効く

◆記憶力を増強する四つの絶対法則

何年か前、テレビの人気番組に、「記憶の達人」として、立て続けに出演をしたことがありました。

ＴＢＳの『どうぶつ奇想天外』では、会場にいる五十人がランダムに書いた文章を、即座におぼえさせられました。テレビ朝日の『不思議どっとテレビ。これマジ?!』では、あるレストランで、三十人のお客が三品ずつ注文した合計九十品の見たこともない料理名を、その場で暗記するように言われました。

やらせや演出のない真剣勝負でしたが、どれもパーフェクトなできばえで、会場がどよめいたものです。

私は、凡人です。

その凡人に、こんな離れ業ができたのは、ひとえに「記憶のコツ」を体得していたからです。才能に恵まれた「真の達人」をさしおいておこがましいのですが、凡人なりの究極の記憶術を、ここでお話ししておきましょう。

厳選すると、次の四つになります。

①反復する
②関連づける
③整理する
④思い出すクセをつける

順を追って説明していきましょう。

①反復する

記憶の基本です。

記憶に頭のよし悪しは関係ありません。差が出るのは反復の差です。ただし、同じ反復でも、要領により、効率のよし悪しはあります。

②関連づける

記憶には、記銘（頭に入れる）、保持（忘れないでいる）、再生（おぼえたことを正確に出す）の三つが求められます。三つをバランスよく実現するには、自分の身近なものに関連づけておぼえることが大切です。よく知っているものに連結したり、貼りつけたり、置き換えたりすることが関連づけです。

③整理する

「記憶術は整理術」です。整理しないことにはおぼえにくく、保持しにくく、再生しにくいものです。「どうおぼえよう」ではなく、「どう整理しよう」と考えましょう。整理しないまま、やみくもに丸暗記しようとするから、時間がかかったわりには記憶量が少なくなります。

整理には、「番号をふる」「色で分ける」「図や表にする」などがあります。

④思い出すクセをつける

極論すると、記憶術は再生（想起）術かもしれません。頭に入れることに目が奪われがちですが、それより、出すほうに力を入れましょう。ふだんから思い出すクセをつけることが、記憶力強化に直結します。

食べたら食べっぱなし、服を脱いだら脱ぎっぱなし、戸を開けたら開けっぱなし、というのが悪いように、おぼえたらおぼえっぱなし、というのが記憶にはいちばんよくないの

●記憶強化サイクル●

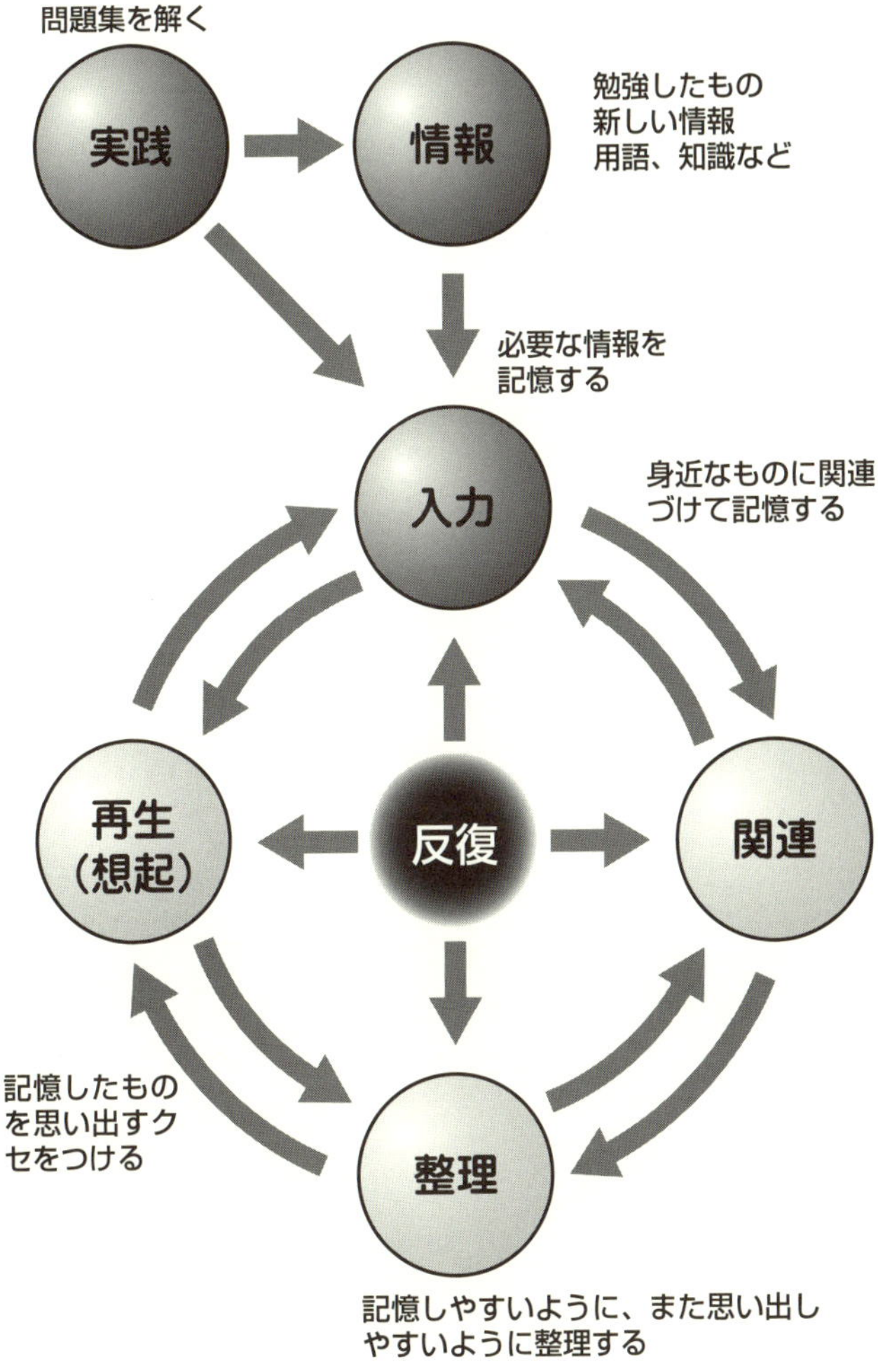
問題集を解く
実践
情報
勉強したもの
新しい情報
用語、知識など
必要な情報を
記憶する
入力
身近なものに関連
づけて記憶する
再生
(想起)
反復
関連
記憶したもの
を思い出すク
セをつける
整理
記憶しやすいように、また思い出し
やすいように整理する

です。

以上をまとめると、133ページのような図になります。自分の記憶のしかたと比べてみてください。情報を入力するところまでは誰でもやるのですが、それを肝心な時に出せないのは、関連づけ、整理、想起のクセをつけていないか、もしくは反復の回数が足りないかのいずれかだと思います。

記憶術のさらに具体的な応用法を、順次述べていきましょう。

◆大敵は「ダメ」という思い込み

注意欠陥・多動性障害（ＡＤＨＤ）は、以前は子どもに多く見られ、家庭のしつけに問題があるのではないかなどと言われたものです。近年では脳の障害の一つであることがわかってきました。そして、おとなにも同じ症状を持つ人がいることもわかってきました。

その人たちには、次のような共通の特徴があります。
①注意がそれやすい
②忘れものが多い
③整理整頓ができない

④ものごとを最後までやり遂げられない

注意が次から次へと移るために、やっていたことや、身辺のモノが、どんどん忘れられ、置きざりとなっていくのです。そのため、仕事の単純ミスが多い、話をよく聞き逃してしまう、部屋が片づけられないなどの症状に悩まされることになるのです。

Kさんも、そんな一人です。

私のところに相談にやって来ました。

彼女は、ADHDのために、仕事も人間関係もうまくいかなくなり、人から信用されなくなっていました。何とか人の輪に戻りたいけれど、自分の症状を考えると、怖くて入れません。自分を再び認めてもらうには、別の面を見せるしかない、それには資格をとるのが近道だ、と考えました。

「でも、勉強しても、次から次へと忘れてしまう。記憶術を教えてほしい」と相談に来たわけです。

本当に記憶できないのかと、記憶術に入る前の基本的なトレーニングをやってみました。すると、普通の人とほとんど変わりがありません。ADHDによる障害に加え、周囲からのマイナス評価と、それにともなう自己否定とが、「記憶できない」という思い込みをつくっているのではないかと私は思いました。

しかし、そんな分析結果を告げても、Kさんを助けることにはならないようでした。膨大なテキストと問題集を私の前に広げ、「試験は一カ月後にあるのです」とせっぱつまった表情です。

そこで私は、シンプルだけど即効性のあるとっておきの勉強法を紹介しました。それは、同時に、きわめて効率のよい記憶術でもありました。

◆「あとは機械的にやるだけ」にする

Kさんに紹介した勉強法は、次の三つからなります。

①問題集一冊のみ
②機械的にやる
③テキストは必要なところだけ目を通す

最もシンプルで最大に効果を上げるということで、「最小公倍数的勉強法」と言ってよいと思います。

①問題集一冊のみ

その資格は、Kさんには未知のものでした。基礎知識がないので、テキストを読んでも、問題集を見ても、チンプンカンプンです。テキストを読みながら、じっくり問題集を解いていくオーソドックスな方法では間に合いません。

最小で最大の効果を出すには、徹底的に問題集をやることです。2章で述べた並行勉強法をやることです。

②機械的にやる

「感情を使うな」ということです。できてもできなくても、自分で決めた約束ごとを淡々とこなすことが「機械的」という意味です。

私は手書きの原稿を書く時、まず、原稿用紙に今日書く枚数分の番号をふります。「今日は三十枚」と思ったら、三十枚分の番号をふってから書き始めるのです。これが「自分で決めた約束ごと」です。約束ごとを決めたら、体調や原稿のできのよし悪しにいっさい関係なく、淡々とこなします。で、書き終わったら、たとえ時間的なゆとりがあっても、ピタリとやめるのです。

時間で決める場合もあります。「午前三時まで書こう」と決めたら、たくさん書けようが書けまいが、時間通りにピタリとやめるのです。

機械的にやるとは、そういうことです。歯を食いしばってはいけません。根性を入れ、がんばれば、その日は何とか持ちこたえられますが、あとが続かなくなります。大切なことは、長く続けられる状態を維持することです。

私のような怠け者には、勉強や仕事は苦痛なのです。その苦痛を少しでも軽くするためにも、「機械的」が大切です。

勉強の場合の「機械的」のポイントになるのが、やはり目次です。

目次を読むと、テキストが全部で何章あり、内容はどんなで、章や項目は平均何ページかなどがパッとつかめます。「何時間でやれるか」という計算がピピッとでき、「一日、一時間、一回当たり、何ページやればよいか」が明快に見えてきます。あとは、機械的に進めていけばいいのです。

◆「必要」は「十分」にまさる

③テキストは必要なところだけ目を通す
テキストにムダはありません。全部、重要です。ですが、「とくに重要」「基本として重要」「知らないよりは知っておいたほうがよい」の三つぐらいには分けられます。

テキストだけを勉強していると、この優先順位がつかめません。

問題集は、それを見きわめるのに役立ちます。

●目次の活用術●

① 目次を開く

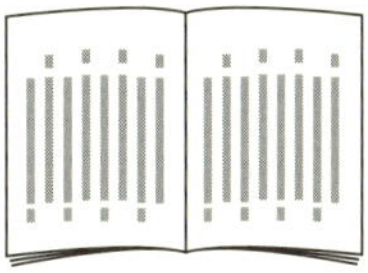

問題集
教科書

② 目次をチェックする

・何章あるのか
・1章当たり小項目はいくつあるか
・1小項目当たりページ数はどのくらいか

③ 目次で計算する

・1日1章勉強するとしたら○章あるから○日で1冊が終わると計算
・1日1項目勉強するとしたら○項目あるから○日で1冊終わると計算

④ 具体的な今日の勉強時間やページ数が決定する

・1項目○分で勉強すればよいという計算ができる

⑤ 実行

・機械的に勉強する
・約束の時間、ページ数が来たらピタリとやめる

⑥ 結果

・楽にできる
・最小にして最大の効果が上がる
・継続できる

だから、試験勉強には、テキストより問題集が大切なのです。

「テキストが主、問題集は従」という一般の主従を逆転して、「問題集が主、テキストは従」にしましょう。わかってもわからなくても、問題集に接していくと、「この問題はテキストのどこに出ているのか」が確認できます。その確認したところが、「とくに重要なところ」です。テキストは、問題集に出たところだけをおぼえておけば、試験に必要な知識を効率よく吸収できます。

細部にわたる勉強は、合格してから、すればいいのです。

以上のことを、私はKさんに話しました。

まとめて言うなら、問題集を中心に「解答」をおぼえましょう、ということです。基礎知識がなくても、最小のことを徹底的にやれば、最大の効果を出せるのです。

手前味噌ながら、私は高校三年生の時、公務員試験を受けたことがあります。ほとんど勉強しませんでした。ただ、書店で一冊だけ問題集を買い、一週間ばかり、解答を見ながら解いたのです。ズバリ即効の試験対策になりました。ある地方気象台から合格通知をもらったのです。

もう三十年以上も前で、今とはまったく試験内容も異なる時代の昔話にすぎませんが、「問題集中心勉強法」は、その時から私の記憶術の一つになりました。

「逆に考える」ことで回路が太くなる

◆濃い鉛筆がなぜ記憶を濃密にするのか

前項のKさんに、私は「問題集一冊のみ」という勉強法をすすめましたが、その時、次のような記憶ポイントをつけ加えました。

①鉛筆はBか2Bを使う
②問題集は試験まで最低五回くり返す
　くわしく説明しましょう。

①鉛筆はBか2Bを使う
鉛筆を使うのは、問題集一冊に少なくとも五回、解答を書き込むわけですから、そのつ

ど消す必要があるためです。

また、HBは硬くて消しゴムで消すのが大変です。消えても跡が残って、記憶の固定にさしつかえます。Bや2Bは、簡単に消せて、跡も残らないという利点があります。

◆記憶には「カワラ屋」より「ペンキ屋」が有利

②問題集は試験まで最低五回くり返す

前項の「最小公倍数的勉強法」といい、1章で述べた「一夜漬け勉強法」といい、私の試験対策は短期決戦パターンのように誤解されたかもしれません。

短期決戦は、差し迫ったピンチを切り抜ける有効な手段ですが、毎日コツコツ勉強した人には、やはり勝てません。いわゆる地力《じりき》をつけるには、さらなる反復が必要です。

私はテストが終わるたびに、いつも悔いていました。一夜漬けのわずか二回の反復で合格点がとれたのだから、三回、いや四回反復していたら、反復する時間があったら、満点がとれていたろうに、と。

満点はムリとしても、反復の回数と記憶の定着は正比例しますから、同じ集中力、同じ要領でやれば、確実に点数は上がります。

記憶の定着度は、二回反復で五〜六割、三回で約九割というのが、私の経験からの推定です。たとえば、

「アブデュル・ハミト二世（オスマン帝国第三十四代皇帝、一八七六〜一九〇九）」

をおぼえるのに、二回反復では、まだあいまいです。

「アブ………ハミト二世（オスマン帝国第………代皇帝、十九世紀〜二十世紀）」

という具合です。これが三回目になると、かなり確実に記憶されます。

「アブデュル・ハミト二世（オスマン帝国第三十四代皇帝、一八？〜一九？）」

四回目、五回目になれば、ほぼ完璧に記憶が固定されることでしょう。

二回反復だけでは、あいまいな部分が残り、急場はしのげますが、記憶の固定には届きません。三回目、四回目に、記憶の固定化が急速に進み、五回目には、簡単なことがなら、確実に記憶できます。

個人差もありますから、五回反復で万全とは言いません。時間がある人は、十回でも、二十回でも反復してください。ただ、五回反復は、完全な記憶に向かう大きな目安になると思います。

Kさんは、ＡＤＨＤに悩まされており、試験日も切迫していましたが、幸い、勉強する時間はたっぷりとれる環境にありました。そこで、「五回」という記憶ポイントをつけ加

えたのです。

私の記憶術の師の渡辺剛彰先生は、記憶のしかたを、「カワラ屋式かペンキ屋式か」という、うまいたとえ話で説明していました。

カワラ屋さんは、一枚一枚、カワラを最初から完全に組みながら仕事を進めます。ペンキ屋さんは、最初はおおざっぱにザッと表面を塗ります。そして、だんだん仕上げの塗りに入っていきます。

記憶も同じです。

最初から一字一句、完璧におぼえていく「カワラ屋式」だと、大半が途中で挫折します。しかし、最初は全体をおおざっぱに記憶し、だんだん記憶を固定していく「ペンキ屋式」だと、挫折することもなく、速く、正確、大量に記憶していけるのです。

◆問題集の簡単五回反復法

問題集一冊を五回、徹底してやる具体的な方法を説明しましょう。

［一回目］

問題集から解答部分を切り離し、解答を見ながら、問題集をとにかく最後まで解きます。

わからない用語は無視して、どんどん先に進むことです。ここでいちいち引っかかっていたら、勉強は進みません。

薄い問題集一冊を三～四日で終わるぐらいの計画でやるとよいでしょう。「何となく雰囲気がつかめた」程度でよいのです。まずは読破が目標です。

［二回目］

消しゴムで一回目の解答を消してから始めます。

一回目と同様、最後まで読破するのが目標です。ただし今度は、わからない用語はテキストをチェックして確認する作業が加わります。

［三回目］

ここから仕上げに入ります。

なるべく解答を見ずに、自分で問題を解きます。二回、解答を見ながら解いているので、ぼんやりと記憶している個所が二～三割ぐらいあると思います。それ以外の、わからない問題には□印をつけます。

わからない問題は、すぐ解答を見てもかまいませんが、少していねいに「なぜ、何を、どう間違ったのか」「何がわからなかったのか」を確認してください。

［四回目］

□印のついた問題を中心に解いていきます。できた問題は、□印を◩印のように半分塗りつぶします。できなかった問題はテキストなどで再確認し、□印はそのままにしておきます。

もう三回やったので、記憶した個所（解答を見なくても解ける問題）がだいぶ増えているはずです。この段階で、四～六割に正解率が高まるでしょう。

［五回目］

□印と◩印のついたところだけをやります。解答を見ずに解けたら、□印は◩印、◩印は■印とします。

これで七～八割に正解率が高まるはずです。

すべての試験に通用するとは言いませんが、少なくともマークシート式のような試験なら、この方法でほぼ完璧ではないでしょうか。

Kさんにこの勉強法、記憶ポイントを手ほどきした時、彼女はこう言いました。

「学校では勉強を教えてくれますが、『勉強のしかた』は教えてくれません。ですから、とても苦しい思いをしてきました。でも、これなら、ラクにできそうです。こんな私でも心の負担が少なく勉強できると思います」と。

その結果、一カ月足らずで、社会福祉関係の試験にみごとに合格しました。

周囲の人たちはみんな驚きましたが、いちばん驚いたのは本人だったようです。すっかり明るくなり、波にも乗りました。一カ月後にもう一つの試験を受験し、これも合格しました。

合格通知証をファックスで送られ、今度は私が驚きました。

Kさんは、今では、ある老人ホームの副園長にまでなっています。安定した経営で、信頼されるホームを目ざしてがんばっています。ＡＤＨＤに悩み、人の輪に入れないと嘆いていたかつての暗い表情は、どこにもありません。

◆最小努力を最大に生かすには?

最小の努力で最大の効果を出すには、五回の反復が必要ですが、「五回でも多すぎる」と言う人がいるかもしれません。

そういう人も、三回のくり返しだけは、必ずやってください。

「五回くり返し」の三回目からやればよいでしょう。それでも、一カ月かけて一冊の分厚い本をじっくり一回読んで試験に臨むよりも、成績は抜群によいと思います。

わからない個所を残してもいいから、解答を見ながら最後までやり通すというポイントさえ守れば、効果は上がります。

そうです。問題集を中心にするのは、試験に同じ問題が出ることを期待してのことではないのです。テキストをじっくり読み、じっくり記憶する時間がないために、問題を解きながら、テキストの重要部分をつかみ、攻略するためです。

普通の勉強法は、

①テキストの理解→②問題を解く→③試験

という順序になりますが、私の場合は、逆です。

①問題を解く→②テキストの理解→③試験

という順序です。

私は、記憶術や勉強法、仕事術なども、だいたい、普通の逆の順序でやります。仕事のやりかたをおぼえてから仕事をするのではなく、仕事をしながら仕事のやりかたをおぼえていきます。自信をつけてからものごとに挑戦するのではなく、挑戦することで自信をつけていきます。

私のやりかたは総じてこうなのです。「考えてから行動する」か「行動しながら考えていくか」という場合の、後者です。どちらも正しいやりかたなのですが、自分の人生状況に応じて使い分けてきた結果、私は圧倒的に後者になりました。

●逆順のすすめ●

● 「A」 ――→ 「B」 が一般的なら
「B」 ――→ 「A」 という順序でやる

例

① 記憶術をマスターしてから勉強に応用する

↓

勉強をしながら記憶術をマスターしていく

② 自信をつけてから何でも積極的にやる

↓

何でも積極的にやりながら自信をつけていく

③ テキストをしっかり理解してから問題を解いてみる

↓

問題を解きながらテキストを理解していく

④ 理論を勉強してから実践する

↓

実践しながら理論を構築していく

おぼえにくいものをおぼえる法

◆失敗を生かそう

記憶は失敗で強化されます。

大きくいえば、人生に成功するかどうかも、失敗を活用できるかどうかが一大要素だといえます。

私は高校二年生の時、バイクの無免許運転で警察に捕まりました。生徒会の副会長をしていたので、学校に知れたら大変です。警察の人から「今回は大目に見よう」と放免されてほっとしたものの、毎日「バレやしないか」とビクビクしている自分が嫌で、一週間後、担任に「自首」しました。

当然、謹慎処分を受け、副会長も辞任することになりました。あとで聞くと、ここまでの私の対応は、私の思いとは逆に評価がよかったようです。

ところが、その後、いろいろな思いが交錯し、どうしてももう一度、副会長をしたくなってしまいました。そこで、校長に直談判に及んだのです。

私は、その行動を自画自賛していました。誰もやらないことをやることが自分の美学だったからです。

直談判の一週間後、私は校長室に呼ばれ、校長、風紀委員の先生、生徒会の顧問の先生らの前に座りました。結局は副会長への復帰を許されたのですが、その席で、私はケチョンケチョンに怒られてしまいました。

「椋木。ものごとには順序というものがある。お前はそれを無視して、いきなり校長に直談判した。どういう了見によるものかね」と。私は生まれてはじめて人前で泣きましたね。

「ああ、世の中とはそういうものか」と思い知らされました。

このように、強烈な失敗体験というのは、ずっと記憶に残るものです。今の話は、三十数年前の話なのです。

記憶術は、この原理を活用しています。

記憶を強く印象づけるには、強烈なイメージを描きます。「強烈」には、失敗だけでなく、おもしろおかしさ、意外性なども含まれますが、要は、強烈なイメージを描けば、長期に、正確に、大量に、速くおぼえることができるというのが、記憶術の基本なのです。

◆「消しゴム」に要注意！

学生時代、試験のあと、答え合わせをする時、間違った個所を消して正解に書き直す人はいなかったでしょうか。

これは、絶対にやってはならないことです。

なぜなら、「なぜ、どんなふうに間違ったか」が、わからなくなってしまうからです。間違った個所を消すと、テスト用紙はきれいになりますが、せっかくの「間違ったという強烈な記憶」も同時に消えてしまいます。

これでは、本当の意味で「正解」を頭の中に刻むことができません。

間違った個所には赤ペンで線を引き、正解を書き込むようにしましょう。正答と誤答が並んで紙面に残る光景が、記憶の定着を大きく助けるのです。

ちなみに、作家は、決して原稿を鉛筆で書かないと聞きます。たいてい、万年筆を使うようです。

なぜでしょうか。

鉛筆は消しゴムで消せるからです。記憶も消え、記述も消えてしまうからです。その記憶や記述を、ほかの個所で再活用できなくなります。二度と同じ文章は書けない創作にとって、これは致命傷です。

その場ではふさわしくない記述や着想も、ほかで役立つかもしれない、それを消さないために、作家は原稿を万年筆で書くのです。今はパソコン派が増えましたから、記述や着想の保存は別の形で行なわれているようですが。

いずれにしても、消しゴムを使わないやりかたは、間違いを強く印象づける効果があるのです。

ここで、「はて？」と頭をかしげた人がいるかもしれません。

「問題集を徹底してくり返す」ところで、鉛筆と消しゴムを使うように言い、この項では、消しゴムを使うなと言うのは矛盾しているではないか、と。

「問題集を徹底してくり返す」のは、基礎知識のない人が効率よく勉強していく方法です。まだテストに臨む段階に至っていない状況で、問題を解きながら基礎知識を得る方法なので、消しゴムを使ってもかまわないのです。

もし、納得がいかなければ、同じ問題集を五冊買うとよいでしょう。一回読み通すたびに、問題集を新しいものにとり替えればよいのです。

◆意味のないことに意味づけする

強烈なイメージを描くという点では、予想も効果を発揮します。

新聞のコラムを使った頭のトレーニングや、ある学者の公式のおぼえかたを紹介しましたが、これらも、予想力をつけることで記憶を強化するやりかたです。

予想は想像力や思考力、推理力、論理力などを必要とします。なぜなら、予想には失敗がつきものだからです。

失敗がつきものだから、知識を集約し、論理的に綿密な推理をします。この時点で、脳は活性化しています。

予想がはずれた時は、強く印象づけられて、正解がスポンと頭に定着します。

さらに、予想がズバリ当たれば、非常に感動的ですから、いつまでもその記憶は消えません。

ギャンブルをやっている人に聞いてみましょう。「今までいちばん勝ったのは?」と。きっと、何年前のできごとでも、くわしい状況、戦果を語ってくれるでしょう。

しかし、イメージを描くという点で、最も効果がはっきり現われるのは、数字をおぼえる時だと思います。

たとえば、次の数字をおぼえてください。

全部で三十九字あります。

307709454116917170791908654307420171796

丸暗記しようとすると、三十分や一時間ではおぼえられません。数字は無機的で意味もイメージもないからです。

けれど、意味づけし、イメージづけすれば、簡単におぼえられます。この数字は、こうおぼえればよいのです。

みんなべんきょうしているかいたいへんだけどがんばろうよみんなじぶんのためだから《307709454116917170791908654307420171796》

「みんな勉強しているかい。大変だけどがんばろうよ。みんな自分のためだから」です。

どうして、こうなるのでしょうか。

数字に「約束ごと」をあらかじめつくっておいて、それにあてはめれば、こういうおぼえかたが、簡単にできます。

「約束ごと」は、どんなものでもかまいません。要は、自分の記憶に残ればいいのですから……。

ちなみに私は、157ページのような約束ごとを持っています。

◆「宮本武蔵式」記憶術

私は宮本武蔵の考えかたに共感していますので、その考えかたをとり入れています。それは、『五輪書』に記された、次のような言葉です。

「かまえにとらわれるな、敵を倒すことのみを考えよ」

要は相手を倒せばいいのだから、手段（かまえ）にとらわれるなという意味です。これは、あらゆることに共通する真理だと思います。

数字をおぼえるのも同じことです。

要は数字をおぼえればいいのですから、方法にとらわれる必要はありません。157ページの表は、あくまで「椋木修三の置き換え表」です。みなさんは、これにとらわれる必要はありません。これを参考に、独自の置き換え表をつくってください。

たとえば「二郎」は「ジロウ」と読みますので、「2」の「その他」の欄に「ジ」を入れてもいいのです。また、「五木」は「イッキ」と読みますから、「5」の「その他」の欄に「イ」と入れてもよいのです。

●数字置き換え表●　（椋木式）

	一般	形	外国語	音感その他
0	レ	マ　ワ	オ	ン
1	イ　ヒ	ノ　ト　メ	ア　テ	
2	ニ　フ	ユ	シ	ソ
3	サ　ミ		ス	
4	シ　ヨ		ホ	
5	コ		ウ（中）	
6	ロ　ム			モ　ラ　リ　ル
7	ナ	ヘ　タ　ヌ　ネ	セ　チ（中）	
8	ハ　ヤ		エ	
9	キ　ク			カ　ケ

※（中）は中国語
これはあくまでも私の数字置き換え表（約束ごと）です。
みなさんはこれを参考にして、自分独自の「約束ごと」をつくればいいのです。
自分独自というのは、この表を見て、つけ加えたり、削ったりすることです。

「約束ごと」ができたら、今度は使いこなせなければ意味がありません。パソコンと同じで、いくら機能がすぐれていても、使えなければ無用の長物となります。

パソコンでは、使いこなすために、とりあえず、キーボードを見ずに入力するブラインドタッチができるように練習するのが普通です。

数字も同じで、パッと見た時に、すぐに文字（意味、イメージ）に置き換えられるようになっておかなければなりません。

そのために、次ページの表のような五十音を見ては、パッと数字が出てくるように、まず練習することです。「数字→カナ」「カナ→数字」の変換練習をまめにやるのです。「カナ→数字」が二秒以内に出てくるようになれば、文句なしで本来の段階、つまり「数字→カナ」の変換能力が、実用領域に達していきます。

◆「語呂合わせ記憶」これで完璧

数字のおぼえかたには、昔から「語呂合わせ」が用いられています。

語呂合わせのよさは、長年の間にいろいろな人が考案したものが、日常、至るところで使われていることでしょう。なじみやすいし、身近です。

●カナ→数字変換練習表●

アイウエオ
カキクケコ
サシスセソ
タチツテト
ナニヌネノ
ハヒフヘホ
マミムメモ
ヤユヨ
ラリルレロ
ワン

（ガギグゲゴ）
（ザジズゼゾ）
（ダヂヅデド）
（バビブベボパピプペポ）

（キャキュキョ）
（シャシュショ）
（チャチュチョ）
（ニャニュニョ）
（ヒャヒュヒョ）
（ミャミュミョ）
（リャリュリョ）

語呂合わせの短所は、数字の配列によっては、うまく語呂合わせができないことがある点です。この問題を解決しなければなりません。そのために、前述のように、すべての数字にアイウエオの五十音をはめ込んだ「置き換え表」をつくったわけです。

それでもむずかしいという人は、次ページの数字変換表を援用してください。これは、すべての数字を二桁にした表です。一桁、三桁、五桁のように奇数個の数字は、頭に○をつけ、二桁に区切っておぼえます。

これでまず、百パーセント語呂合わせができます。あとは、要領だけです。

要領は三つあります。

①そっくりそのままあてはめる

この代表が、「一一九二年に鎌倉幕府が開幕」です。「一《い》一《い》九《く》二《に》つくろう鎌倉幕府」とは、誰が考えたのか知りませんが、本当に名文句です。ピタリとうまくはまっています。既成のものを利用するほかに、自分でもどんどんつくっておぼえましょう。

②イメージ的にあてはめる

この代表が、「一六〇〇年に関が原の合戦」でしょう。「一《い》六《ろ》いろ兵士乱れて〇〇《まあまあ》丸くおさめた関が原」とおぼえます。一六〇〇の「〇〇」の部分があいまいですが、何となくイメージ的におぼえられてしまいます。

●2桁数字変換表●

1	2	3	4	5	6	7	8	9	0	
11 トトロ	21 布団	31 サイ	41 よい子	51 鯉	61 ロンドン	71 ナイキ	81 灰皿	91 杭	01 オートレース	1
12 豆腐	22 夫婦	32 ミニスカート	42 死人	52 交通事故	62 浪人	72 夏	82 パンツ	92 国	02 鬼	2
13 父さん	23 兄さん	33 耳	43 シミ	53 ゴミ	63 ムササビ	73 涙	83 歯磨き	93 グミ	03 オッサン	3
14 石	24 ニシン	34 刺身	44 シジミ	54 腰	64 虫	74 ナシ	84 橋	94 クシ	04 オシン	4
15 インコ	25 日光	35 サンゴ	45 しこう品	55 ココア	65 六甲	75 名古屋	85 ハンコ	95 球根	05 お琴	5
16 イチロー	26 二郎	36 三郎	46 四郎	56 五郎	66 (CD) ロム	76 線路	86 ハム	96 黒	06 オーム	6
17 イナゴ	27 フナ	37 サナギ	47 シナリオ	57 コナミ	67 胸《ムナ》毛《ゲ》	77 タナバタ	87 花	97 クナシリ島	07 女	7
18 イヤな奴	28 不夜城	38 サバ	48 シバ	58 ご飯	68 老婆	78 ナナハン	88 葉っぱ	98 吸盤	08 お化け	8
19 一休さん	29 肉	39 柵	49 軸	59 悟空	69 ムクノキ	79 泣く子	89 白菜	99 救急車	09 おきゅう	9
10 岩	20 庭	30 三輪	40 シワ	50 ゴン (中山)	60 群	70 ナレーター	80 ハーレム	90 クワガタ	00 俺	0

③単に言葉に数字をあてはめる

私の教室にくる小学生に教わった方法です。

小学生の彼らには、名文句をつくる語彙《ごい》が、まだ不足しています。それだけに、「要は数字が言葉につながっていればいいんだ」という実にシンプルな考えかたをします。したがって、どんな数字でも意味のある言葉に変換していくことができるのです。

たとえば、①の代表の一つに「七一〇年に平城京へ遷都《せんと》」を「七一〇《なんと》美しい平城京」とおぼえる語呂合わせがあります。

これを、彼らは、「七《な》ん（何）だ、一《い》ま（今）も〇《ま》だある平城京」と変換してしまうのです。これには驚きました。まさに目からウロコが落ちる思いでした。

そうです。このシンプルさがいいのです。

「かまえにとらわれるな」という宮本武蔵の考えかたそのままです。

ちょっと見かたを変えれば、どんな数字も、百パーセント変換でき、記憶できるのです。

5章

「わからないまま」を恐れるな

――速読術を訓練なしで身につける法

自分を「多読家」につくり変える

◆「重箱の隅」に成功はない

要領の悪い人を、私は好きです。要領が悪い、不器用、愚直……といった言葉には、純粋さ、ひたむきさ、正直さといったプラスのイメージがあります。

ただ、要領が悪い人は、ものごとがうまく運ばないという短所もあります。

なぜでしょうか。

要領の悪い人には、「全体が見えていない」という共通点があるからです。「木」ばかり見がちで、「森」のほうに気が回りにくいのです。

ある企業で、リストラ対象社員の教育研修を行なったことがあります。この人たちの共通点が、まさに「全体が見えていない」ことでした。

本人たちはきわめてまじめで、一生懸命に仕事をしているのです。ただ、自分の仕事だけに没頭していて、「会社はA方向に向かっているのに、自分はB方向に向かっている」ことが理解できていなかったのです。

そのため、社内で歯車が合わず、浮いた状態になっていったのです。浮けば意固地にもなり、自分の仕事に固執もします。人の助言が耳に入らなくなり、孤立して、ついにはリストラの対象になったのでした。

「全体を把握する」ということは、それほど大切なことなのです。

ある大学教授が、「文章の言葉じりをつかまえて質問をしてくる学生は伸びない」と言っていました。文脈をとらえることなく、重箱の隅をつつくようでは、学問は進まないと嘆いていたのです。

ここに百人いたら、百通りの勉強法があると思います。

その優劣は、なかなか言えないと思うのですが、押さえておかなければならないことはあります。それが「全体の把握」です。

167ページの図を見てください。木だけがポツポツと配置されているようです。しかし、これは、山の中の木なのです。ここから、みなさんはどんな山を想像しますか？

私は速読教室で、いつもこの図を受講生に見せて、考えてもらうことにしています。そして、「木だけ見ていると山の形が見えなくなり、結局、効率のよい勉強ができなくなるのですよ」と申し上げています。

◆「そのうちわかる」が速読の基本

「目次」を暗記する意味は、ここにあります。

目次が「山」で、本文の中身が「木」なのです。

行政書士の勉強をしていたある人は、まずテキストの目次だけをコピーし、それを貼り合わせて巻物のようにして使っていました。

勉強する前に、その巻物（目次）を開いて「今日はここの勉強をしよう」とテキスト全体の中での位置づけをするのです。すると、「今日、勉強することは、AとBとCにつながる。CはDやEに関係していく」というように、大局的な関連に気づくわけです。

こうして頭の中がきれいに整理されれば、記憶が定着しやすくなり、勉強の効率化もスムーズに進むのです。

その人が行政書士の試験に一発合格したのは、言うまでもありません。

●あなたにとって、この山はどんな山？●

「」は木を表わしています。あなたにとってこの山はどんな形をした山なのでしょう。「正解」はありませんから、自由に書き込んで下さい。

これが逆になると、どうでしょう。

勉強が嫌になる理由の筆頭に、「わからないから、嫌になる」というのがあげられます。わからないから勉強するわけで、勉強は、わからなくて当たり前です。

そこをどう対処するか。

ここが運命の分かれ道です。

何度か説明してきたように、わからない時に、いちいちそこで止まっていては、勉強は進みません。とくに勉強のとっかかりの時には、むずかしい専門用語などが出てきても、ひっかからないで先に進むことが大切です。

「意味がわからなくてもいい。そのうちわかってくる」というぐらいの気持ちで進んでいくことです。

勉強はおおざっぱでいいと言っているわけではありません。目の前の小さな疑問にとらわれて、科目全体の体系がつかめないのでは、効率的な勉強はできないと言っているのです。完全主義を完全に貫けるなら、本当は、引っかかったところで、言葉や概念の意味を完全に理解し、それを積み重ねながらテキストを最後まで読破できれば、それがいちばんいいに決まっています。

でも、完全なる完全主義者はほとんどいません。私たちの多くは、中途半端な完全主義者です。専門用語に引っかかって用語を理解しようとして、そこで挫折することが多いのです。そこで勉強が嫌になるのです。途中でやめてしまうのです。

それだったら、最初から勉強しないのと同じです。わからなければ、それを飛ばしてでも最後まで読み通したほうが、よっぽど価値があります。

本章で説明する速読も、「わからなくても読破する」という考えかたが基本になっています。

◆「じっくり」は凡才の言いわけ

J・F・ケネディ大統領の演説は全米国民の心をつかみ、魅了しました。それは、彼が演説の中に古人たちの名言を多用したからだといわれています。

そして、彼が古人たちの名言を多用できたのは、本を速読していたからだという話があります。確証はないのですが、そんな話を読んだ記憶があります。

古代中国でも、すでに速読をした人物がいました。

それは諸葛孔明《しょかつこうめい》です。

諸葛孔明と言えば、「三国志」に出てくる英雄です。彼の神算奇計、緻密巧妙なる知略は、読書から生まれたといってよいでしょう。読書といっても、紙の本はありません。皮ひもで編まれた木簡《もっかん》とか竹簡《ちっかん》を読んでいたのです。

彼の読みかたはケタはずれです。一字一句を追う熟読ではなく、サーッと流れるような速読だったというのです。

人が一巻を読む時間で五巻、十巻と読めば、おのずと勝負は決まりです。読書量と知恵は必ずしも比例しませんが、諸葛孔明ほどの天才が、速読で膨大な知識を得れば、まさに水を得た魚のようだったに違いありません。

現代日本のジャーナリスト立花隆氏の読書量も並ではありません。氏の書庫には三万冊以上の本があり、全部目を通しているというから驚きです。

私は十四歳の時、あと何年生きられ、何冊の本を読めるかと計算したら、生きられるのは一万六千七百九十日ばかりだとわかって、愕然とした記憶があります。一日一冊読んだとしても一万六千冊あまりしか読めないのです。

それを考えると、立花隆氏の三万冊以上というのは驚異的な数字です。氏の探究心、並みはずれた精神力があってのことだと思うのですが、それを助けたのが速読なのは間違いありません。氏の自著に、多読するために速読のトレーニングをしたと書いてありました。

やはり、多読に速読は欠かせないのです。

◆速読術の三大鉄則

速読のコツをつかむために、まず、五通りの本の読みかたを知っておきましょう。

①素読《そどく》

文意がわかろうとわかるまいと、ただひたすら声を出して読みます。漢文などの勉強の初歩的な読みかたです。

②精読

一字一句注意深く読みます。法律の条文を読む時の読みかたがこれに当たります。

③熟読

一字一句味わいながら読みます。普通「本を読む」と言ったら、この熟読をさします。

④瞬読

私の造語で、瞬間的にパッパッパッと一ページまるごと読みます。幼児がパラパラと絵本をめくったり、書店での立ち読みでパラパラとページをめくったりする時の読みかたです。

⑤速読

情報収集のために読みます。必要な情報を収集したり、重要な点をサッとつかむ読みかたです。

　こうした読みかたの中で、勉強のスピードアップをはかる速読力を高めるには、おもに五つのトレーニングが必要です。
①集中力を強化するトレーニング
②視点がスムーズに動くようにするトレーニング（動体視力を上げる）
③周辺視野を広げるトレーニング
④視読力を高めるトレーニング
⑤重要語句をつかみ、頭の中でまとめるトレーニング
　しかし、本書は速読の本ではありません。目的はあくまで勉強にあります。もっと簡単に、トレーニングなしで速読力を高める方法がないのでしょうか。

　あります。それは、次の三つです。
①文字を見たら「速く読もう」と心がけること
②文章を味わうことをあきらめ、必要な情報のみの収集に徹し、要点をつかむこと
③サラサラ読みでよいと思うこと
　どうです？　簡単そうでしょう。

ところが、たったこれだけのことが、なかなかうまくいかないのです。

なぜでしょうか。

ほとんどの人が、「文字に対する執着が強い」からです。「内容が一つ一つ確認できないのでは読書ではない」という固定観念にしばられると、どうしても一字一句を追うようになります。これが速読の上達をさまたげます。

ですから、速読をしたいと思うのなら、前ページの三点を徹底することです。それこそが、速読のコツなのです。

◆「心がけ」を変えるだけでいい

まずは、この本文で試してみましょう。

この本は、一ページ当たり四十字×十六行です。改行や見出しによる字数の変動に注意しながら、一分間で約何文字読めるか試してください。

何度か試みて平均を出せば、ふだん、だいたいどのくらいの速さで読んでいるのかの見当がつきます。

一般に、読書が苦手な人が読む時、あるいは専門用語を読む時の分速は、約三百字前後です。平均的な人の平均的な分速が、約五百字前後。本を読み慣れている人は、分速約八百字前後となります。

自分の分速がわかれば、本を読む時間をだいたい計算できます。

速めに読むクセをつけるためには、読むページの二分の一の数字を目ざすのがよいでしょう。

たとえば、十ページ読むなら、その二分の一の五分間で読もうと心がけます。二十ページなら十分間で、三十ページなら十五分間で……というように心がければ、それだけで速読力が自然と身についていきます。

最後に、各新聞の一面にあるコラム欄をサッと読んでは、タイトル（標題）をつけるクセをつけてください。文章の把握力や理解力を高めるのに役立ちます。

標題をつけるコツは、「正解」を出そうとしないことです。国語のテストではありませんので、思ったまま、感じたままを書けばよいのです。

ちなみに、一コラムを読む速さは、三十秒を目安にしてください。新聞社によって違いますが、一面のコラムは、だいたい五百～八百字ぐらいの字数ですから。

123～126ページでも、このコラム欄活用法を述べました。また出てきましたね。新聞の一面コラムは本当に使い勝手がよいのです。

速読にも、もってこいの教材になりますので、活用してください。

●トレーニングなしで速読力をつける●

① ふだんの読み方で、1分間当たりどのくらいの字数を読んでいるかを調べること。10の位はすべて切り捨てて下さい。

約 [　　　　] 文字

例

仮に586文字読んだとしても10の位を全部切り捨てて約500字とすること

② 次に、1分間2ページを読むよう、少し早めに読むよう心がける。

・10ページ読む場合は5分間
・20ページなら10分間

というように、読むページ数の1/2の時間で読むことを心がけること。
これができれば2倍の速さで読めることになる。

③ 新聞のコラムを読む
朝日新聞なら「天声人語」、読売なら「編集手帳」、毎日なら「余録」、日経なら「春秋」……など、それぞれ30秒を目標にして読み切る。読んだあと標題をつけるクセをつけるとよい。

◆早く理解するには早く図解せよ

どんな本でも速読できるのでしょうか。

残念ながら、できません。厳密に言うと、速読はできるが、速解（速読しながら内容を把握すること）はできないのです。

もう少し具体的に言えば、こういうことです。

①ゆっくり読んで理解できる本は、速読も速解もできる

②ゆっくり読んでも理解できない本は、速読できても速解はできない

こういう時には速読はあきらめて、まずはじっくり理解するところから始めなければなりません。

余談ですが、私には、どうも宇宙の成り立ちや仕組みがよくわかりません。約四十六億年前にビッグバンという大爆発によって宇宙が誕生したというのですが、誕生前はどうなっていたのでしょうか？　宇宙は膨張し続けているといいますが、膨張の先はどうなっているのでしょうか？　そんなことを考えると、わけがわからなくなって、夜も眠れなくなります。

このようにわからないのは、私の頭が特別に悪いからではないと思います。そうではなく、頭の中でイメージができないからなのです。

本やテキストを読んでいて理解できない時が、まさにこれと同じです。

頭の中でイメージ化できない時に、理解がむずかしくなるのです。

たとえば、次の問題をやってみてください。

「弟は家から二km離れた学校へ毎分七〇mの速さで歩いて出発した。兄はそれよりも一〇分遅れて、毎分一二〇mの速さで追いかけた。兄は弟にいつ、どこで追いつけるか」

（旺文社　中学数学解法事典　監修茂木勇）

中学生レベルの問題です。数学が好きなかたは、この文章を読みながら、すぐに頭の中にイメージができ、数式が成り立つと思います。しかし、数学が嫌いな人間は、イメージ化すらできません。

では、どうすればよいのでしょう。

頭の中でイメージできなければ、頭の外でイメージ化すればよいのです。すなわち、紙に図を書きさえすれば、簡単に数式が出てきます。図で示すと179ページの通りです。

むずかしいのは、弟の歩いた距離の表わしかたです。「距離＝速さ×時間」ですが、数学が嫌いな人間には、歩いた時間を表わす（一〇＋x）分間という発想がどうも出にくいのです。

なぜかというと、問題文の「一〇分遅れて」に引っかかって、イメージが混乱してしまうからです。

それも、紙とペンで図にすれば、「あっ、そうか」と気づくことができます。わかってしまえば、「なんだ、そんなことか」というコロンブスの卵にすぎません。

理解しにくい文章に出会った時は、自分を決して責めないでください。

図に表わしさえすれば、たいていのことはわかります。

よく、「法律の条文がおぼえられない」という人の相談を受けます。その多くの人が、条文の意味も理解せず、やみくもに暗記しようとしているようです。それでは、おぼえられません。

こういった時は、テキストに落書きするつもりで図を書き込み、どんどんイメージ化をはかったほうがよいと思います。

文章をわざわざ図にするのは、一見、遠回りに思えます。

ですが「急がば回れ」です。結果的にはイメージ化したほうが効率よく頭の中に入り、スピード勉強法になるのです。

●問題をイメージ化しよう●

問題

弟は家から2km離れた学校へ毎分70mの速さで歩いて出発した。兄はそれよりも10分遅れて毎分120mの速さで追いかけた。兄は弟にいつ、どこで追いつけるか

① 何をxにするか？

② xを使ってどのように図にするか

③ それをどう数式に表わすか

① 兄が弟に追いつく時間をx分後とする

② すると図は

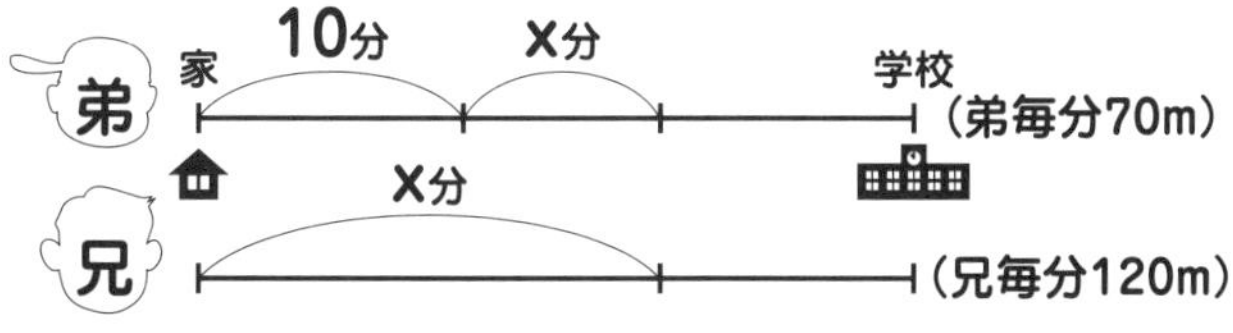

③ この図から

兄が出発してからx分後に弟に追いついたとすると式は、

$$70(10+x)=120x$$

これが出れば、あとの解答はスンナリ出ます

速度を上げて理解度を下げないために

◆読む速度と理解度は比例するか

「一夜漬けの帝王」だった私も、長い目で見れば、コンスタントに勉強する人には勝てないと前に書きました。勉強の理想の姿は、「太く短く」よりも、「細く長く」続けるところにあるのです。

速読も同じです。

急にやっても効果は上がりません。その代わり、ふだんから速読するクセをつけておくと、急激ではありませんが、確実に速読力を上げていくことができます。

その力は、速読を始める前の二倍から三倍までは高められます。

一ページ当たり五百〜六百字の本を、一分間当たり二〜三ページ読めるスピードです。一時間で読む分量を、二十〜三十分間で読める計算になります。

さて、ここまできたら一度次のことを試してみましょう。

ある本を六十ページ（約三万字）読んでみてください。

まず普通のペースで。だいたい一時間かかります。

次に速いペースで。だいたい三十分間かけます。

最後に、最速ペースで。だいたい二十分間で終えましょう。

そして、六十ページを一時間で一回読んだ時の内容の把握度と、三十分で二回読んだ時の把握度、二十分で三回読んだ時の把握度を、内容の要約をそれぞれ書き出して調べてみてください。

一回読むよりも二回読んだほうが把握度が高くなり、二回読むよりも三回読んだほうがさらに把握度が高くなっていることがわかると思います。

反復による効果です。

つまり、同じ一時間読むとすれば、普通に読むのと、速読で読むのとでは、内容把握度が格段に違うことになります。

役所に勤めていた受講生Lさんは、速読をやって、おもしろいことに気づきました。

「分速一千字のスピードで読もうと、三千字のスピードで読もうと、内容の理解度は同じだった」と言うのです。

それに気づいてから、Lさんの本の読みかたが変わりました。一千字ペースでも三千字ペースでも内容の理解度が同じなら、三千字読んだほうが得だと考えたのです。

それからは、以前より、思いきってスピードを上げて読めるようになったと言っていました。

そうです。

本一冊を三時間で一回読むよりは、「サラサラ読み」で結構ですから、同じ時間で三回読んだほうが記憶も内容把握もうんと上がるということです。

◆「くり返し」はいいが「時間延長」はいけない

私がよく受講生におすすめしている勉強法の一つをここで紹介しましょう。

それは、次の通りです。

まず、みなさんが今、勉強しているテキストを出してください。そして、勉強する範囲を決めてください。とりあえず三十ページぐらいを目標にしてみましょう。時間は四十〜

五十分間、用意します。

それができたら、次の順序にしたがってテキストを読んでください。

［一段階］

目標範囲を五分間速読します。

どんなことが書いてあるのか視察するような気持ちでサッと読み切ってください。

［二段階］

同じ目標範囲を、今度は三十分間、熟読してください。重要語句や専門用語をチェックしながら読みます。

［三段階］

同じ目標範囲を、今度は先ほどの重要語句、専門用語を拾い読みするようにして、五分間、速読します。

［四段階］

テキストを閉じ、今、勉強したところを思い出す時間をとります。

四段階では、思い出せないことがまだあるでしょう。しかし、こういった勉強をしていくと、やがて思い出す量も正確さも高まっていきます。

あきらめずにやり続けることです。

ここでのポイントも、2章で述べたように「時間がきたらピタリとやめる」思いきりのよさです。この思いきりがないと、集中力を高めることができません。くれぐれも、けじめのある動きをしてください。

◆内容把握と速読を両立させる法

速読を始めると、ジレンマに陥る人がいます。

スピードを上げれば内容把握は落ち、内容の把握を重視するとスピードが落ちるというジレンマです。

これを防ぐには、読むスピードと、思考するスピードを、ほぼ同じぐらいにすることです。個人差はありますが、だいたい、分速千～千三百字ぐらいでしたら、思考は十分に追いついていけます。

これは、新書判の本一冊が、およそ一時間半～二時間で読める速さです。前述の「トレーニングなし速読」で身につけられるスピードですが、さらに確実に、このスピードで読める力をつけましょう。

やりかたは簡単です。

●指さし速読●

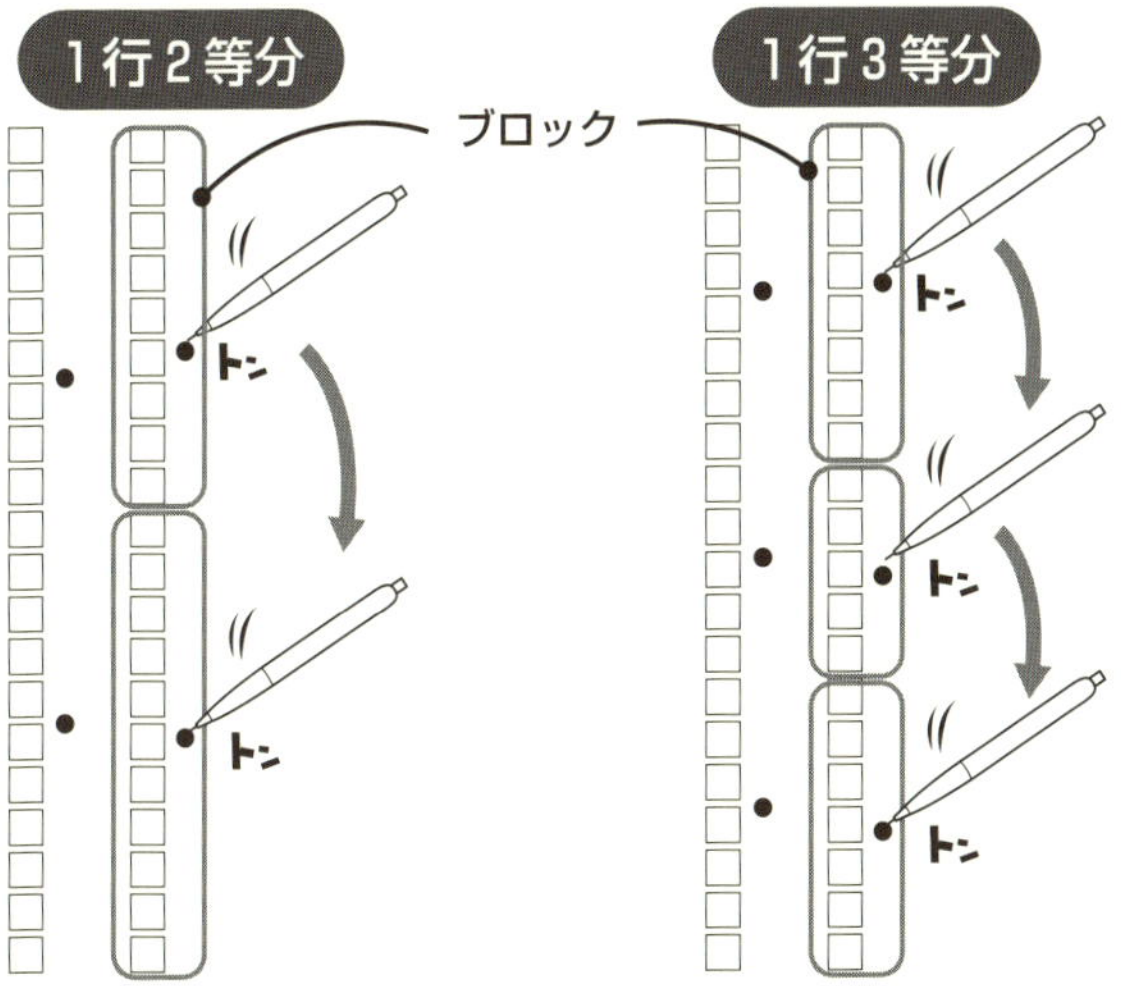

トントンと1つのブロックの真ん中に、シャープペンを置くように読んでいくと、速読と把握が同時にできるようになる。

してはいけない例

上からサーッと流していくと、視野が広がらないので、速読できない。これでは、普通の熟読と同じになる。

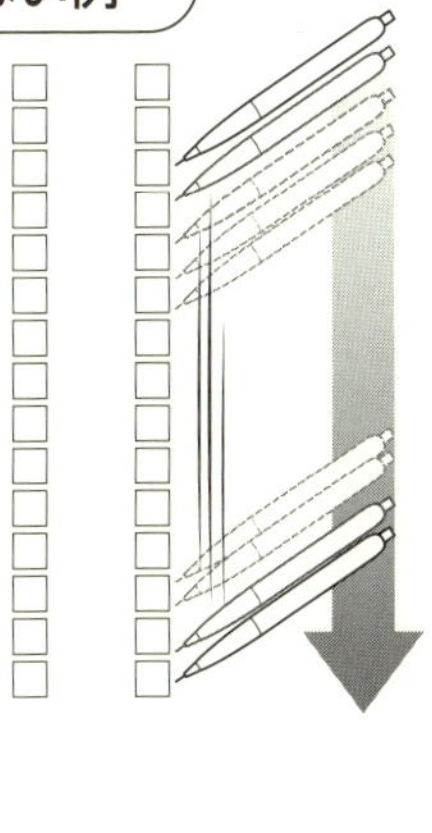

一行を三回で読むようにするだけです。

あるいは、一行を二回で読んでもよいでしょう。

そのために、ペンを使った「指さし速読」をします。

185ページの図のように、一行を、トン、トン、トンと三等分して（するつもりでよい）、読んでいきます。

大切なことは、ペンをサーッと流すように動かしてはいけないということです。ペンを流すと、ブロックで読むことができないので、速読力がつきにくくなります。

三等分に慣れたら、トン、トンと一行を二等分し（するつもりでよい）、ペンを置いていく、つまりペンで指をさすようにしてみます。

こうすると、内容把握力と速読力の両方を簡単にアップさせることができます。

◆速く「目をつける」トレーニング

昔、税理士の先生から、こういう意味のことを聞きました。

「試験対策には、速読力が必要かつ有効だ。さまざまな試験の時間と問題量を見ると、試験時間内に問題を全部解くためには、普通の速さで読んでいては間に合わないことが多い。

問題を読むと同時に○か×かを判断している、あるいは、問題が何を問うているのかを理解している、それくらい反射的に反応するスピードが必要だ。それは、速読で養うのがいちばんだ」と。

試験では、一字一句を読んで、じっくり考えて、ゆっくり問題を解いている時間はないということです。試験問題は読み返せないと思うことが大切だということです。

そのためには、前述のように、ふだんから文字を見たら速く読むことが大切になります。よく、動体視力のすぐれたスポーツ選手は、一流と言われます。これは、みなさんに置き換えれば、テキストを読んだり問題集を解いたりする目の動きと同じでしょう。

スポーツ選手たちは、こんな練習もしていると聞きます。

たとえば新幹線で移動する時、通過する駅名を読みとるのです。実際に新幹線から窓外を見ればわかりますが、サッと通りすぎる駅名を読むのは、なかなかできるものではありません。このようにして、スポーツ選手たちは、常に自分の能力を高めているということです。

速読も動体視力を必要とします。

ですから、私も、同様の練習をしています。新幹線に限らず、電車でドア付近に立ち、真下に見える枕木を目で追うのです。

「さあ、これから速読の練習をするぞ」とかまえるとしんどい場合がありますが、ふだんの生活の中で気晴らしがてらに練習をするのは、そうでもありません。

その意味からしても、テキスト、問題集に限らず、新聞、雑誌、資料など、とにかく文字を見たら速く読むことを心がけましょう。知らず知らずのうちに速読力を上げていくことができます。

ちなみに、試験の問題を解くにしても、勉強するにしても、分速千〜千二百字ぐらいの速読力があれば、もう十分です。ただし、どんなに遅くても分速八百字以上の力はつけておけば安心です。

◆マーカーペン「超」効率読書法

すでにみなさんもマーカーペンなどで、本の重要なところにマークをつけていると思いますが、ある受講生からすばらしいやりかたを教わりましたので、紹介しましょう。

まずテキストを読む時、次の四つのポイントを探します。

①問題
②解答

③理由
④例外
テキストを読んでいると、「ここが問題だ。問題提起をしている」というところが必ずあります。

本章でいうと、「速読力はなぜ必要なのか」が問題であり、問題提起をしているところです。そこを、赤のマーカーペンでマークします。

こうしていくと、テキストの中で、問題もしくは問題提起している個所を、すべて赤でマークしていくのです。逆に言えば、赤マークを見たら、「あ、ここが問題だな」とすぐわかるようにしておくのです。

次に、問題に対して、「解答」となる文章が必ず出ています。

本章でいうと、「速読は試験問題を速く読むため」が「解答」となります。そこを、緑色のマーカーペンでマークします。

こうしていくと、解答になる文章は、すべて緑色でマークされることになり、緑マークを見れば、「これは解答を意味している文章だな」とすぐわかります。

次に、解答の「理由」が書いてあるところがあります。

本章でいえば、「試験問題は読み返せない」という部分がそれです。ここを、青のマーカーペンでマークします。

理由を示す文章は青でマークされ、青マークを見れば、「これが理由だ」とすぐにわかります。

最後に、「例外」を示す文章を探します。

本章でいえば、「速読しないほうがいい場合」です。本章では書いていませんが「詩や短歌、俳句などを読む場合などは速読しないほうがいい」のです。こういう部分を、黄色のマーカーペンでマークします。

例外が書かれた文章は黄色でマークされ、黄色マークを見れば「ここが例外！」とパッとわかるようになります。

こうして、それぞれ色を統一してマーカーしていくと、一目で「これは何」と見分けがつくテキストになり、超効率のよい勉強ができるというわけです。

◆試験の「ヘソ」をズバリ押さえる

色分けしながら一冊のテキストを読破したとしましょう。

肝心なのは、このあとです。

テキストを二度、三度……と再読する時は、テキストを隅から隅まで読む必要はもうありません。勉強のテーマに沿って、色でマークされた部分だけを追えばいいのです。

たとえば、「今日は『理由』だけを読む。そうして、理由の『問題』と『解答』『例外』を思い出してみよう」という勉強のしかたをするのです。

青色マークの部分だけを目で追い、あとは記憶を想起するわけです。それを全ページ通します。

次の日は「今日は『例外』だけを読む。そうして、例外に対する『問題』『解答』『理由』を思い出してみよう」と、黄色マークの部分だけを読みます。

次の日は「今日は『問題』だけを読む。そうして、問題の『解答』『理由』『例外』を思い出してみよう」と、赤マークの部分だけを読みます。

このように、毎回、テーマとする色の部分だけを読んで、その他の三つの要素を思い出していけばいいのです。

これは、便利です。ポイントだけを抽出した勉強法ですから、よけいな努力、労力がいりません。ぜひ試してほしいと思います。

余談ですが、打ち上げ前のスペースシャトルの内部にNHKのテレビカメラが入っていく番組で、おもしろいことを言っていました。搭乗員の持ち物やロッカーは、すべて色分けされているというのです。極限状況の中で、すばやく自分のモノと他人のモノとの区別がつくようにという配慮なのだそうです。

なるほどと思いました。

文章の色分けも同じです。ポイントだけ押さえ、そのポイントを分類してチェックしていけば、どんな状況の下でも、超効率のよい勉強ができるはずです。

ちなみに、試験は、受験する側にすれば、合格するためですが、主催者側からすれば、受験生を落とすために試験をするという見かたができます。

そう見れば、主催者側は「どういう問題を出せば落ちるのか」を突くのが当然だといえます。

すると、①問題、②解答、③理由、④例外のうち、多くの受験生は、①問題、②解答、③理由の三つは本気でやりますが、④の例外は、とかく見落としがちなことに気づきます。そうです。④例外は受験の「ヘソ」なのです。

とくに法律関係の勉強では、この「例外」が盲点となるようですから、しっかり押さえておいたほうがよいと思います。「例外」は結構ややこしい個所なのですが、めんどうくさがらずにチェックするのが賢明だと思います。

常に「いいスピード」を保つ

◆「視読法」のすすめ

心という言葉の語源は、「コロコロ」だという説があります。ひとときも一定の状態にあらず、常にコロコロ変わるのが心だというのです。

「女の心と秋の空」なんて言いますが、これは誤りで、男も女も心は秋の空状態。常にコロコロ変化していると思って間違いありません。

しかし、勉強では、移り気な心理状態は困ります。

雨が降ろうと槍が降ろうと、体調がよかろうと悪かろうと、ストレスがあろうとなかろうと、影響されず、平常心で毎日一定の勉強時間に、一定のリズム、一定の分量の勉強をするのが理想です。

しかし、実際は、そうはいきません。とすれば、心は常に変化し、揺れ動くということを前提にした勉強法を確立しておいたほうがよいと思います。

その一つが、「視読法」です。

◆「ああ、今日はもう……」という日の勉強法

「視読」とは、速読の一種です。

私たちは、文字を頭の中で無意識のうちに音声化して理解する読みかた（「音読法」と呼んでいます）をしています。これに対し、文字を音声化しないで、視《み》て理解する読みかたを視読というのです。

実は、速読速解ができる人は、この視読力がとても強い人なのです。

では、視読力のある人でなければ、速読術を活用した勉強ができないのでしょうか。

そうではありません。視読は文字を音声化しない読みかたです。トレーニングせずとも、流し読みの感じで、サーッと字づらを追っていけば、視読に近い読みかた（「視読法」と呼んでいます）ができます。

「そんなことで頭に残るのか」と思うでしょう。

頭にはあまり残りません。字づらを追っているだけですので、頭の中には残りにくいのです。

「それなら、やらないほうがましだ」と早合点しないでください。視読法には、コロコロ変わる心に対応するという意義があるのです。

たとえば、「今夜も一杯飲んで勉強しなかった」「仕事で疲れて勉強する気になれない」「気がクシャクシャしているので勉強は、やめよう」というような時、まったく勉強をしないと、翌日に大きな挫折感が残ります。下手をすると、そういうことが重なって、勉強そのものをやめてしまうこともあるでしょう。

しかし、そんな状態でも、テキストを開いて、サッと見ること（視読法）だけはできると思います。

おわかりですね。

翌日は、どんな状態であっても、必ずテキストには目を通した達成感があるはずです。たとえ頭に入っていなくても、挫折感を残さないことが大切なのです。

どんな状況でも、最低必ずテキストだけは視読する（目を通すだけ）のを習慣にしてほしいと思います。

「それすらむずかしい時がある」という人は、せめて、ギリギリ最低限、目次の視読と音読だけは欠かさないでください。

どんな状態でも、せめて目次に目を通すぐらいのノルマは達成しておかないと、「やる気あんのか」と言われてしまいます。

こうして、調子の悪い日にも、頭に刺激を与え続ければ、大きくくずれる（挫折する）ことはありません。

この「刺激の継続」が重要です。

刺激を継続していくことで、頭の中に入りにくい視読も、多少は復習、予習に役立てることができます。すなわち、視読していれば、翌日、きちんと勉強する時は、非常に頭に入りやすくなっていくのです。

◆速さはあなたの何を変えるか

どの世界でも、目標を持った人と持たない人とでは、人生の歩みかたが相当違ってきます。目標は、コロコロ変わる心を制し、人生を不断に向上、発展させるために欠かせないものです。

速読を利用して、目標を持ってみませんか。

ここで、この章のはじめに戻って、速読力を上げるために何をするかを、199ページに書き出してみてください。

たとえば、「読むページ数の二分の一の時間で読む」と図の上の欄に書き込んだとしたら、下の欄には、時間や月日を書き込みます。「読むページ数の二分の一の速読を、九月十五日までにできるようにする」というように書き込むのです。

以下、同じように書き込んでください。実現する可能性がグンと高まります。

実現の可能性をさらに高めるために、ここで、「目標」と「願望」をはっきり区別しておきましょう。

目標と願望は同じように思えますが、決定的な違いがあります。それは「時間の設定」です。

願望は時間が設定されていません。「いつかは〜したい」のが願望です。

目標は時間が設定されています。「六月十日までに〜をする」というのが目標です。

願望は、時間を設定することで目標となるわけです。どちらが達成しやすいかというと、時間を設定したほうであるのは当然です。それを強めるために、目標は、「〜したい」ではなく、「〜する」と断定したほうがよいのです。

私の教室で速読トレーニングをした人に感想を聞くと、「価値観が変わった」とか、「仕事のしかたが変わった」「勉強のしかたが変わった」という人が非常に多いのです。

速読は常に時間を意識しながらトレーニングをするから、そういう派生効果が出てくるのでしょう。

単に「本を読むのが速くなった」とか「多読になった」「データ処理が速くなった」というようなメインの効果だけにはとどまらないのです。

たとえば「価値観が変わった」というのは、「勉強は大変なものだという考えかたから、勉強っておもしろいという考えかたに変わった」という価値観の変容です。

また、「仕事のしかたが変わった」というのは、「今まで仕事はあと回しにしてきたが、先手先手でやるようになった」「仕事の先を見通してやるようになった」とか、「失敗しても落ち込まなくなった」という意欲の向上です。

速読の派生効果がここにまで及べば、仕事も人生もおもしろくなります。

◆「遅れる恐怖」を完全に除こう

速読は、さらに大きな効果を導くことができます。

●願望を目標に変えていく●

❶ 本章をふり返って、あなたがやろうとすることを下記に書き出して下さい。

（1）私は

（2）私は

（3）私は

（4）私は

（5）私は

（6）私は

※紙面の都合上ここまでにしておきますが、書き出せるようでしたら、別の紙に書き出して下さい。

❷ 上記の（1）～（6）に書き出したものに、今度は時間や日付を書き込んで下さい。

（1）　は　月　日までに実施する（達成する）

（2）　は　月　日までに実施する（達成する）

（3）　は　月　日までに実施する（達成する）

（4）　は　月　日までに実施する（達成する）

（5）　は　月　日までに実施する（達成する）

（6）　は　月　日までに実施する（達成する）

その一つが「勉強の先どり」です。

「習っていなくても教科書は先へ先へと読む」ということです。

テキスト一冊を一年かけて勉強するのなら、一カ月で読み切れ、遅くとも三カ月以内で読み切れと、私は、学校へ通っている受講生に申し上げています。

「習っていないから、わかるはずないじゃん」と反論が来そうですが、「習ってもわからない」ところもあるわけで、高速勉強は、わかろうがわかるまいが、そんなこと関係なく進めるところに意味があるのです。

疑問を持ったままにしておいても、勉強を継続すれば、いずれはわかるのです。

教科書（テキスト）を先読みするコツは、やはり「サラサラ読み」です。千字前後のスピードで読むと、心に引っかかりにくく、意外と簡単に先へ先へと進んで読んでいけます。内容をわかろうとして読むと嫌になりますから、むしろスピードを持った速読のほうが読み切れると思います。

一カ月から三カ月で全部の教科書を読み切れれば、授業が復習となります。ましてや定期テストがあるわけですから、その時もまた何度も読み返して復習することになるので、非常に都合がよいのです。

これもまた、速読を利用したうまい方法です。

●2～3分を活用する●

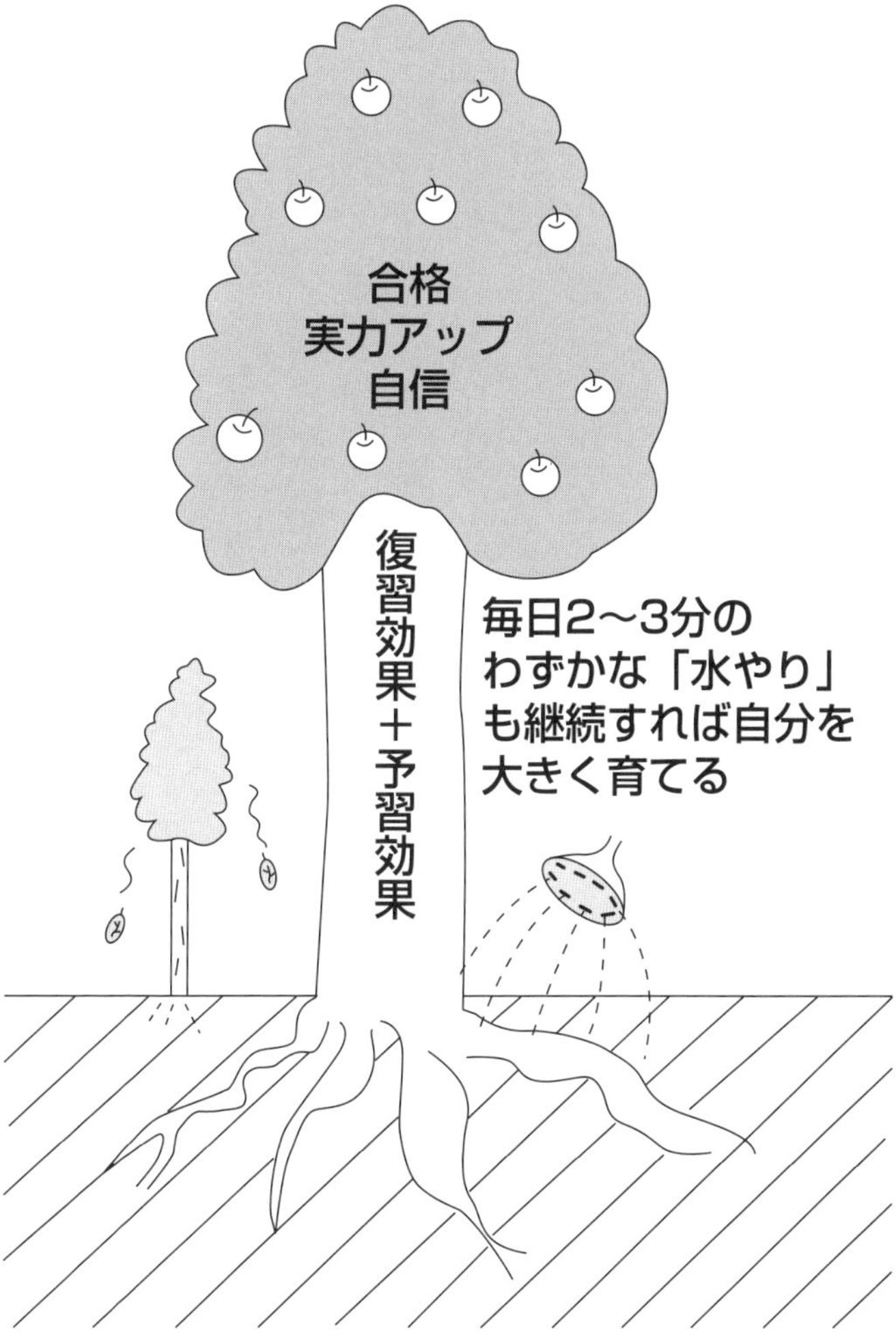
合格
実力アップ
自信
復習効果＋予習効果
毎日2～3分の
わずかな「水やり」
も継続すれば自分を
大きく育てる

速読を活用した勉強法で、学生さんや、学校に通う社会人のみなさんに、私はよく「学校では始業のベルが鳴ると同時に席につき、教師が教室に入って来るまでの二〜三分間を有効利用するとよい」と話します。

思い出してみてください。

始業のチャイムと同時に教室に入って来る教師はほとんどいません。だいたい二〜三分間ぐらいのズレがあります。その時間に、「その授業で習う教科書の速読」をするのです。できれば、最初から最後まで一冊まるごと速読しましょう。視読に近い読み方になるでしょうが、毎日、毎回、どの教科書も同じことを一年間通してやったらどうなるでしょうか。効果は驚くほど大きいはずです。

すでに習ったところは復習していることになり、まだ習っていないところは予習をしていることになるわけです。効果は一日や二日ではわかりませんが、一カ月、二カ月、三カ月と続けていくと、ボディブローのようにジワリと効いてきます。

これも速読をうまく利用した勉強法の一つです。

イチロー選手も言っていました。「目の前の小さな目標をやり通すことで、とんでもないことができるようになる」と。がんばってください。

6章

頭はリラックスでより強くなる

――疲れない頭になる意外な生活習慣

「要領力」をつけよう

◆「迷う人」は本番に必ず弱い

ある受講生が八月頃に私のところに来て、言いました。

「もう一度大学に入り直したいのです」

「合格するために、何をどう勉強するの？」

と聞きました。すると彼は、次の週に、リュックいっぱいの参考書と問題集を持って来ました。私はさらに聞きました。

「どれを、どれだけ勉強するの？」

「これと、これ。それに、これと、これ……」

と、彼は、たとえば英語の長文読解だけで四～五冊の問題集と参考書を示すのです。

「意欲は買うけど、全部できるかなあ。試験まで半年間しかないんだよ」

と私が疑問を呈しても、平気です。

「だいじょうぶです。全部できます」

「本当に？」

「今、昼間働いていないから、時間はたっぷりあるんですよ」

私は心配になって、また聞きました。

「どういう時間配分でやるの？」

その答えは出てきませんでした。

「じゃあ、一緒に考えてみよう」

と、彼の生活リズムを聞きながら、ムリのないタイムスケジュールを組んでみました。

そして、「これを一カ月間続けてみてください」と言って別れ、一カ月後に会いました。

結果はどうだったでしょう。全然できていませんでした。

「どうしてできなかったのかを考えてみよう」

と言うと、今度は、前回と違う参考書を持って来ました。「これなら、できます」と言うので、また、それをやり通せる時間配分を一緒に考えました。

かったのです。

「今度は迷ったらだめだよ」と言って、また一カ月後に会ったら、また、全然やっていな

もう、おわかりですね。この人の結果は……。大学入学は、かないませんでした。

◆「単純なくり返し」にどう耐えるか

私は、「凡事徹底」をすることが、本番で自分の力を出せる「本番力」を高める方法だと思います。

では、具体的に「本番力」を高めるにはどうしたらいいのでしょうか。

①平凡さ

②シンプルさ

が大切だと思います。

シンプルさとは、単調なくり返しだといえます。単純な作業を毎日しっかり続けることです。「あれも、これも」ではなく、「あれか、これか」が大切になります。

冒頭の受講生の例は、最も悪いパターンでしょう。臨機応変を通り越しています。勉強の根幹をなす問題集や参考書を変更したのでは、そのつどゼロからやり直さなければなり

ません。状況をみずから複雑にしているようなものです。

いったん決めた参考書なら、それを徹底してやるのが、シンプルということです。

とくに、「時間がない」「短期で合格したい」という人は、シンプルに、愚直に、凡事を徹底することが大切です。

「あれも、これも」は、時間のある人がやる「ゆとり勉強法」であって、多忙な人、すぐに結果を出さねばならない人には向いていないのです。

ここでチェックをしてみましょう。

209ページの図の中に、まず、①「何の資格をとりたいのか」を記入してください。

次に、②「この資格をとるために必要な教材」をすべて書き出してください。どれだけ勉強しなければならないのか、問題集や参考書、テキスト、パソコンソフトなど、理想と思える教材全部を記入します。

次に、③「試験日まで、あと何日あるのか」を日割りで出してください。

次に、④一日に「何をどれだけ勉強するのか」と、あわせて「自分の勉強できる時間を見つける」ために、勉強時間帯を書き出してください。時間に余裕のある人は五十分一単位、そうでない人は二十〜三十分を一単位で出してください。

最後に、②で選んだ教材から、どうしてもこれだけはという教材だけを一冊を選んでください。捨てがたいものもあると思いますが、できるだけシンプルに。「あれも、これも」はダメです。

これを、④の時間配分の中に組み込んでください。

これで、短期決戦を戦う準備ができました。あとは、それを、凡事徹底でやり遂げるだけです。

◆シンプルさは力である

試験の一週間前までは、この、シンプルな凡事徹底でオーケーです。

このまま試験に臨んでいいのですが、試験一週間前ともなると、「これでいいのか？」と、あせってくるのが人間です。

しかし、試験が迫ってきても、短期間で試験合格や資格修得を目ざすなら、やはりシンプルにかまえたほうがよいと思います。

すなわち、「ジタバタしない」ということです。

ここであせってもしかたがありません。やるべきことをしていけばいいのです。

やるべきことの第一が「時間の調整」です。

●計画をチェックする●

① 何の資格をとりたいのかを記入

② この資格をとるために必要な教材すべてを書き出す

-
-
-
-
-
-
-

③ 試験日まで、あと何日あるのか

あと　　　日

④ 何をどれだけ勉強するのか、勉強できる時間を見つける（これは、別の用紙に書き出して下さい）

⑤ 上記の②の中から「これだけは必ずやる」というものを1冊それぞれ書き出して下さい

※必要のないものは書き出さなくてもよい

テキスト類1冊

問題集類1冊

参考書類1冊

以上書き出したものを④のスケジュールの中に記入して、計画は完成しますとくに夜型の人は、一週間前頃から、だんだん昼型モードに切り替える必要があります。ほとんどの試験は午前中から午後ですから、夜型のままでは、試験で実力を発揮できません。

朝型に移行するためのキーワードは、「夜中の十二時（午前零時）前に寝る」ということです。

十二時前に寝るのと十二時後に寝るのとでは、次の日の頭の働きや行動がまったく違ってきます。たとえば夜の十一時に就寝して朝五時起床するのと、夜中の一時に寝て朝七時に起きるのとでは、睡眠時間は同じ六時間でも、脳内のホルモン分泌の量や質が大きく異なるのです。

夜の十二時をすぎると、ホルモンの分泌量は減り、疲労の回復もあまり期待できません。ですから、試験本番を目前にした時は、昼型を意識して生活しましょう。

しかし、夜の十二時前に就寝するとなると、夜型の人は、勉強時間を縮めるか、もしくは縮めた分をどこかで補填しなければなりません。

しかし、もうこの段になれば、ジタバタしないことが大切です。

時間が短縮されたら、その中で勉強するとよいと思います。つまり、ここでもシンプルな勉強法を心がけたほうがよいということです。

◆体調を整えることで脳という臓器を整える

ここで、肉体面の生活リズムを立て直す方法を、もう少し探ってみましょう。

まず、刺激です。

夜型の人は、朝の目覚めとともに、朝日を浴びることをおすすめします。朝日を浴びることで全身の神経が目覚めを感知し、体も気分もスッキリします。いわば、夜型から昼型へ移行する「時差ボケ」を早く治す方法です。

部屋にシャッターや雨戸のある人は、朝日が入りやすいように、少し隙間を開けておきましょう。遮光《しゃこう》カーテンを使っている場合も、少し隙間を開けておきます。

朝、顔を洗うと同時に、シャワーを浴びるのもよい方法です。少し熱めの湯で、心身をシャキッと目覚めさせましょう。

次に、栄養です。

とりあえずは朝食を必ずとるようにしてください。

脳は、一日にとる平均エネルギーの二〇パーセントを使う「大食い臓器」です。しかも、活力源であるブドウ糖をほとんど蓄えることができません。

そういう脳を、朝から戦闘態勢に入らせるには、朝食は欠かせません。ブドウ糖を早く脳に送ってやることで、脳の働きはすこぶるよくなるのです。

試験当日の朝食抜きなど、絶対しないようにしてください。お茶漬けでも、ハチミツを塗ったトーストでも、何でもいいですから、脳に栄養を与えるようにしてください。

最後に、休養です。

昼休みには昼寝をしましょう。

一般に、脳の働きのピークは、午前十時前後だといわれています。午後にもう一度ピークをつくるには、昼寝が欠かせません。疲れてきた脳に休養をとらせ、リセットするのです。

そうすれば、午後の試験も、調子を戻せます。

効果的な昼寝のしかたは、コーヒーを飲んで寝ることです。昼寝に最適の時間は、諸説あるものの、だいたい二十分間前後だと思います。コーヒーのカフェインが働き出すのも、飲んでから約十五～二十分後なのです。

昼寝の目覚めの時に、カフェインがちょうど働き出すわけです。

ちなみに、試験直前のアフターファイブは、節制が肝心なことは言うまでもありません。あまり飲み歩かないことです。これで対策は万全です。

「ど忘れ」防止法

◆「忘れない脳」に限りなく近づく

一般に、忘れることは、マイナスだと思いがちです。

ですが、必ずしもそうではありません。

心理学者のフロイトは、人間には、つらい体験や感情を忘れる（抑圧する）心理的なシステムが備わっていると言いました。

確かに、「早く忘れたいこと」を自然に忘れることができなかったら、社会生活がむずかしくなるでしょう。私たちが普通に生活できるのは、忘れるという能力があるからだと思います。

そうです。忘れることも一つの能力なのです。プラスがあるのです。忘れることを過剰に恐れたり、忘れる自分を恥じたり責めたりしないでいただきたいと思います。

とはいっても、せっかく勉強してきたことを、試験当日や、ここ一番という日などに、コロッと忘れてしまっては、すべてが台なしです。

たった一問誤ったばかりに合格できなかった、たった一つ思い出せなかったばかりに信用を失なった、となっては、悔やんでも悔やみきれません。

できることなら、インプットしたものは百パーセント保持し、必要に応じてすべてアウトプットしたいものです。

もちろんそれは、事実上ムリです。

ですが、限りなくそれに近づくことはできます。

その方法をお教えしましょう。

◆勉強したら眠るのがベスト

まず、勉強したら眠る習慣をつけることです。

忘却の「干渉理論」をご存じでしょうか。

人間は同時に二つのことを考えることができません。大切なAに集中していても、それ以上に強烈なBが出てくる（干渉する）と、意識はBに行ってしまい、Aはかき消されてしまいます。これが干渉理論です。

勉強も同じです。せっかく学んだ知識も、直後に、ほかの情報に干渉されると、消されてしまいます。

たとえば、勉強したあとお酒を飲んだり、何かに熱中したりすると、その刺激情報が、勉強で得た知識に干渉して、知識が消えやすくなります。

勉強したあとは、できるだけよけいなことはしないのが得策なのです。とくに、夜に勉強した場合は、さっさと寝るに限るのです。

「寝ると、かえって忘れてしまうのではないか」と不安がる人がいます。

しかし、実際はそうではありません。勉強後に眠った人と、ほかのことをやった人とを比較すると、記憶の定着率は、眠った人のほうがよいことが、心理実験でも証明されています。

「ど忘れ」も、勉強後の睡眠で、かなり防げます。

脳は記憶の倉庫ですが、記憶を出し入れする管制塔は、脳の前頭葉です。前頭葉がうまく働かない時に、ど忘れが起きます。

勉強したあとに別の刺激が入ってくると、前頭葉は、情報を整理したり管理したりできなくなります。未整理の記憶は定着しません。サッととり出すこともできません。

ですから、なおさら、勉強のあとは静かに休むことが大切なのです。

ど忘れを防ぐもう一つの方法は、冷静になることです。

脳は、同時に二つのことを考えられません。私たちの脳は、自分にとってより重要なことを選択し、そちらを考えようとします。

ですから、思い出そうとしても、その瞬間、危険にさらされていたり、何か心に引っかかることがあったり、緊張していたり、あわてていたりすると、どうしてもそちらの解決を脳が優先するので、記憶倉庫にある知識が、とり出せなくなってしまうのです。

したがって、ふっと冷静さをとり戻すだけで、ど忘れはかなり防げるのです。

◆「貼りつけ法」の驚くべき効果

今度は、どうすれば忘れにくい脳をつくれるかを考えてみましょう。

たとえば、「あの人の名前は何だったっけなあ」と、喉まで出かかっているのに出てこないことがあります。そんな時、「ほら、奥さんの旧姓と似た……」などと、ちょっとヒントが与えられると、「そうだ。倉本志朗さんだ。クラは倉敷の倉。ロウは明朗の朗。六月の蒸し暑い午後に、A社のB部長からホテルCのロビーで紹介された人だ」などと一気に思い出すものです。

ならば、人から思い出すヒントを与えてもらうように、自分が自分にヒントを与えられるようにしておけばいいのです。

思い出すヒントは、身近なもの、よく知っているものなど、絶対に忘れないものが最適です。おぼえる時に必ず、何か身近なもの、よく知っているものに結びつけたり、記憶を貼りつけたりして、関連づけるのです。

これを記憶術の世界では、「基礎結合法」とか「基礎貼りつけ法」などと言います。

この方法は、すでに順番になっているものを順序よく記憶する時、とくに役立ちます。たとえば憲法をおぼえてみましょう。

まず、日本国憲法全文をコピーして、それを持って町中に出ることです。こういうものは、机に向かっておぼえるものではありません。

ただし、「町中」は、自分がよく知っている町でなければいけません。

では、毎日歩く、家から駅までの道のりで、憲法をおぼえていきましょう。

①自分の家のドア

ドアにふれながら、第一条「天皇の象徴と国民主権」を結びつけます。私だったら「天皇がドアの上にいて（象徴）そのドアは国民である私が使う（主権）」というようなイメージでおぼえるでしょう。

②隣の駐車場

ドアを出たら、見慣れた駐車場です。これと第二条「皇位継承」を結びつけます。「この駐車場も代々いろいろな人に受け継がれて今がある（皇位継承）」というようなイメージでしょうか。

こうやって、散歩がてら、憲法の条文をどんどん結びつけていきます。早ければ一時間以内で、遅くても二〜三時間以内でおぼえることができます。

自分がよく知っているものが、「記憶の呼び水」となってくれるからです。

◆何と何を関連づけるか

数字をかなに変換していく方法を、4章で詳述しました。

この「数字変換法」にも、結びつけ（連想）をする方法があります。数字の形から連想したものに置き換えておぼえる219ページの図のような方法です。

●数字の形から連想したもの●

0	月、太陽、お皿、タイヤ、まんじゅう　ほか
1	タバコ、電信柱、おはし、えんとつ　ほか
2	フック、鼻、アヒル、白鳥　ほか
3	おしり、くちびる、ビワ、ブドウ　ほか
4	ヨット、足、弓、ダンサー　ほか
5	自転車、オートバイ、陸上選手、エビ　ほか
6	おたま、スプーン、バネ、体操選手　ほか
7	クワ、カマ、ピストル、ツエ　ほか
8	雪だるま、めがね、かがみもち、泡　ほか
9	虫めがね、虫とりあみ、ハエたたき、風船　ほか

このほかにもたくさんあると思います
時間をもてあました時などに考えてみて下さい

「2」の鼻は、人の顔を横から見た形です
「4」の足は、自分の足を組んだ形です
このように、何かの一部から連想するものでよいのです

重要なことは、数字の形から連想する点です。

これは、漢字の世界でも、あります。

たとえば、櫻（桜の旧字）は「二階（二つの貝）の女が気（木）にかかる」と昔の人はおぼえたと聞きます。原理はすべてに共通なのです。

数字の公式を記憶するのも同じです。

簡単な例をあげましょう。

円の面積の公式は、$S=\pi$《パイ》r^2です。これを、221ページの図のように、お皿に貼りつけるのです。お皿を見るたびに、「お皿におかずがいっぱいあ～るじょう」と思い出し、忘れることはありません。

同じく、缶コーヒーに、円筒の体積の公式$V=\pi r^2 h$を貼りつけます。見るたびに、「高いコーヒーがいっぱいあ～るじょう」とイメージでき、ど忘れはなくなります。

コツがわかれば、たとえば英熟語だって貼りつけることができます。

たとえば、never fail to ～（必ず～する）という熟語があります。辞書などには、英熟語はたいてい用例と一緒に載っていますので、それを利用します。

I'll never fail to come to you tomorrow.（明日必ずあなたのところへ行きます）でしたら、youもしくはtomorrowに注目します。youにイメージを貼りつけるなら、自分の好きな人

●身近なものに貼りつけると「ど忘れ」はなくなる●

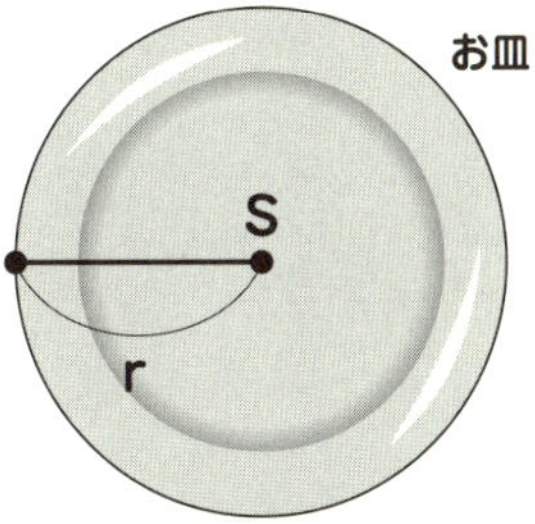

r=半径　S=面積

お皿の面積はお皿におかずが
いっぱいあ〜るじょう（πr^2）
とお皿を見ながら公式を貼りつけていく。

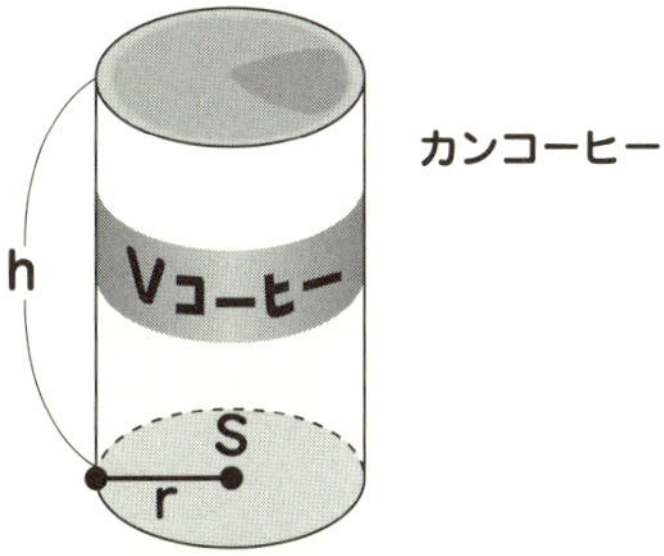

h=高さ　V=体積

カンコーヒーの体積は
高いコーヒーがいっぱいあ〜るじょう（$\pi r^2 h$）
とカンコーヒーを見ながら公式を貼りつけていく。

を見ながら、never fail to〜を口ずさみます。tomorrowにイメージを貼りつけるなら、カレンダーを見ながら、never fail to〜をくり返します。

熟語によっては、貼りつけにくいものがあるでしょう。その場合はスッパリあきらめて、ほかの方法を使えばいいのです。

しかし、かなりの熟語は、何かにイメージを貼りつけることができます。長考する必要はないですから、サッと関連づけの対象を見つけるクセをつけてください。

関連づけては思い出すクセがつけば、あらゆる分野で有利になります。

◆「記憶の呼び水」で身辺を満たそう

関連づけを使えば、究極のカンニングができます。

カンニングといっても、人の答案用紙をのぞいたり、小さな紙切れをこっそり持ち込むような卑劣な行為ではまったくありません。自分の頭の中にイメージを貼りつけ、それをヒントに記憶をよみがえらせるのです。正々堂々、かつ効果は抜群です。

「身近なもの」の一つに、自分が通っている教室があります。また、いつも使っている文房具もそうです。

●「合法」カンニング法●

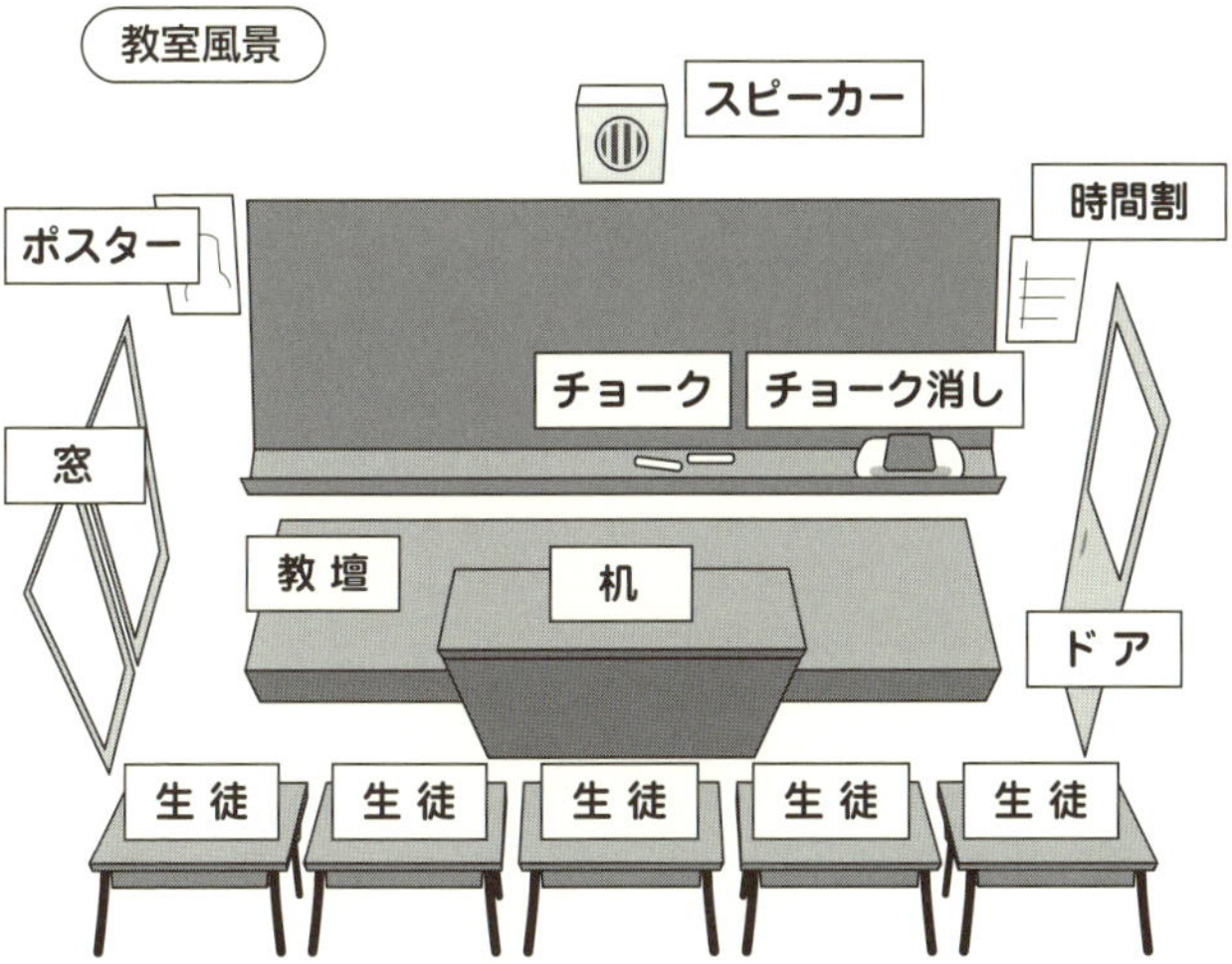

教室にある身近にあるものにイメージを貼りつけていくと、テスト中に貼りつけたものを思い出すことができる

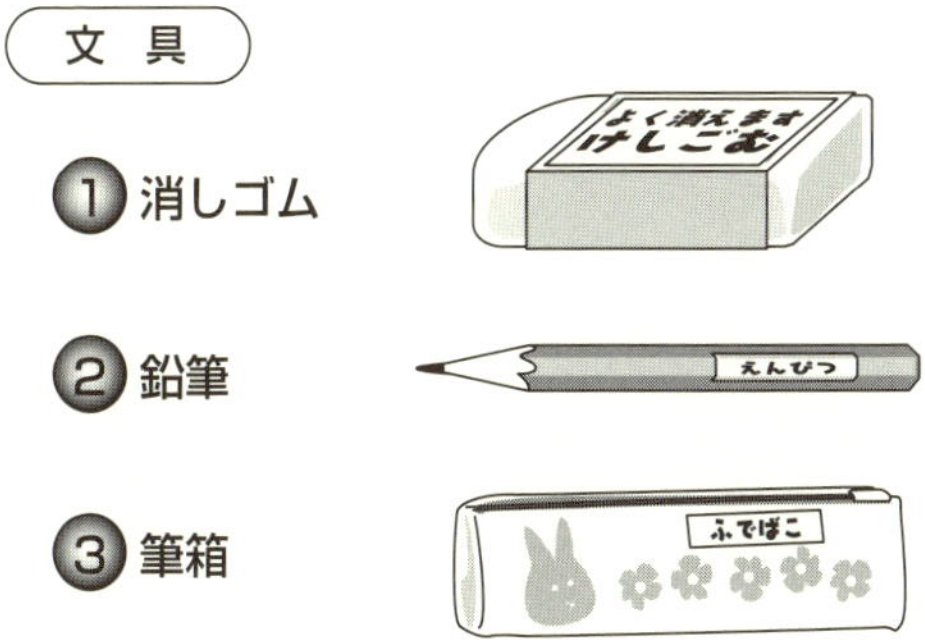

まずは、イメージを貼りつける対象を教室に見つけてみましょう。

まず、教室に入るドア。壁には、ポスター、時間割、連絡メモ、スピーカー、窓、黒板。黒板には、チョーク、チョーク消し。室内には、教壇、机、棚、掃除道具、生徒。生徒には……と、おぼえるための便利な「基礎」がたくさんあります。それにどんどん貼りつけていくのです。

文具も、テスト中に机の上に出しておける「カンニング道具」です。

まず、鉛筆、筆箱、消しゴム、ペン。鉛筆には、メーカー名、バーコード、JIS表示、削った跡。筆箱には、メーカー名、キャラクターなどの絵柄、バーコード、メーカーのロゴマーク。消しゴムには……と、これまた、おぼえておきたいものを貼りつける「基礎」にこと欠きません。

これらの基礎は、思い出す「呼び水」「きっかけ」となるものです。大いに利用してください。

速く回復する頭になる

◆自律訓練で疲れをとろう

勉強にはいろいろな種類があり、いろいろな疲れをもたらします。仕事も同じ、人間関係やストレスも同様です。

しかし、どんな勉強であろうと、仕事、人間関係、ストレスであろうと、もたらされる疲れを、いちように回復させる方法があります。

それが、リラクゼーションです。

いくつかのバリエーションがある中で、私がいつも用いるのは、自律訓練法の簡略版です。

自律訓練法は、心身のリセットとコントロールに非常に効果があり、どんなに体が疲れていても、頭がボーッとしていても、気分が沈みがちだろうと、スカッとさせてくれます。よっぽどの連日疲労困憊状態でなければ、本格的な自律訓練法は必要ないでしょう。むしろ簡略版のほうが、手軽に、短時間に自分をリセットできて、便利です。

試してみてください。

方法は次の通りです。227ページの図も参照してください。

まず、基本姿勢として、イスにゆったりと腰かけます。

両手は太ももの上に乗せ、目は軽く閉じます。場所は問いません。慣れるまでは家でやるほうがいいです。慣れたら電車の中など、どこでもできるようになります。

①深呼吸

深呼吸をします。まず、息をゆっくり吐きます。吐いたら自然な形で息を吸います。あとは自分のペースで呼吸をします。

②「今とても気持ちが落ち着いている」と暗示をかける

息を吐くのに合わせて、「今とても気持ちが落ち着いている」と心の中でつぶやきます。慣れるまでは三回くり返しましょう。慣れたら一回で十分です。

③「両手、両足が重たい」と暗示する

●自律訓練法の基本姿勢●

電車の中

車内で座れた時

会社内

自分の椅子を使う

家で

ソファの時は、両手は両脇に置いてよい

自律訓練法の流れ

① 深呼吸（1回）
② 「今とても気持ちが落ち着いている」（3回）
③ 「両手、両足が重たい」（5回）
④ 「今とても気持ちが落ち着いている」（3回）
⑤ 消去運動――覚醒

×3回＝1セット

※時間のないときは1回分だけでもよい
※3回（1セット）をやると約5分ぐらいで完了する

自律訓練法の消去運動及び覚醒

背伸びできる場所

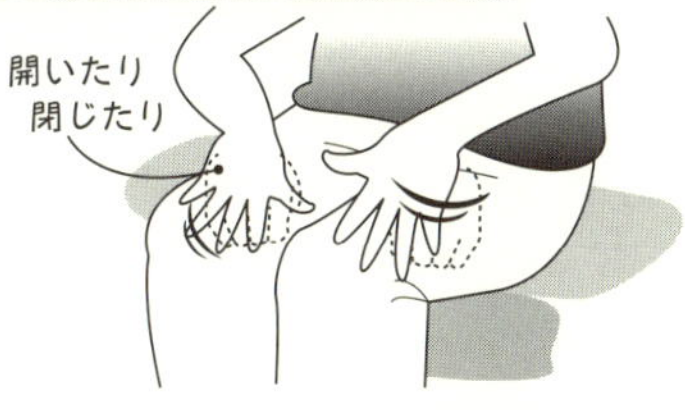

車内では指の屈伸運動

厳密には、右手（きき手）から順に左手、右足……とやりますが、簡略版では両手、両足を一緒にやります。息を吐くのに合わせて、「両手、両足が重たい」と心の中でつぶやきます。慣れるまでは五回やりますが、慣れたら三回で十分です。

ポイントは、手足が重い感じがしても、重い感覚がつかめなくても、淡々と「重たい」と暗示をかけることです。「重くしなくちゃ」とか「重くなれ」といったような義務や命令的な言いかた、考えかたをすると失敗します。

④「今とても気持ちが落ち着いている」と暗示する

最後にもう一度、「今とても気持ちが落ち着いている」と三回、暗示します。これも、慣れたら一回で十分です。

⑤消去運動

消去運動というのは、交感神経を刺激して、リラックス状態をリセットするための運動です。これをしないと、いつまでも臨戦態勢に入れないことがありますので、必ず実行してください。

いちばん簡単な消去運動は、背伸びです。電車の中では背伸びはできませんので、目を閉じたまま、両手の指を開いたり閉じたりするとよいでしょう。

以上、合計で一分間から一分半でできます。

この流れを二〜三回くり返してください。五分ぐらいででき、また、三回（一セット）くり返すと、完全に疲れをリセットできます。

たっぷり時間をかけてリラックスするより、このように短時間でリラックスできたほうがよいのです。

◆「ニワトリの毛をむしる」危機回避法

疲労には、精神的疲労と肉体的疲労があることはすでに述べました。

自律訓練法をしても、ぐっすり寝ても、「もうひとつ何かスッキリしない」という時は、精神的疲労がたまっていると思ってよいでしょう。

精神的疲労がたまった時は、「自分は甘ったれている」とか「だらしない」「怠け者になったのか？」などと自分を責めてはいけません。

こういう時は、あっさりとムダな抵抗はやめて、休むに限ります。

ただし、休みかたにも少し工夫がいります。

①徹底して休む

重症の場合は、全部を放り出して、無責任になることです。会社に診断書を出して休むぐらいの思いきりが必要です。

②最低のことしかやらない

会社を休むほどではないが意欲がわかないという場合は、最低のことしかやらないようにします。精神的疲労をためやすい人は、まじめできちょうめん、過剰に周囲に適応しようという気持ちが強いタイプですから、知らず知らずに、ついムリをしています。最低限必要な仕事以外は、放り出してください。「できることしかやらないよ」「したいことだけするもんね」という考えかたをすることです。

③体を動かす

精神的疲労が少したまった段階なら、気分転換に体を動かしたほうが回復が早くなります。散歩、サイクリング、水泳……何でも結構です。少し汗をかくぐらいの「ニコニコペース」で、できる運動をしてください。

④プレッシャーの中にあえて入り込む

ニワトリが卵を生まなくなったら、どうすれば生むようになるかご存じでしょうか？ 栄養のある食物をたくさん与える？ 休養を与える？ いずれもノーです。

少し残酷ですが、毛をむしりとるのです。これが正解です。

生物には個体保存本能があって、危機が迫ると、それを回避するために、持っている力を今まで以上に発揮します。ニワトリも、毛をむしられることで生命の危機を感じ、良質の卵をこれまで以上に生むようになるのです。

人間も、プレッシャーを「嫌だ」と逃避対象にせず、「来るなら来い」「やってやる！」と肚《はら》を決めて対決することが時には大切です。

ただし、あえて渦中に入っていくのですから、自分に「ごほうび」を用意しておくことです。

◆疲労には「禁句」がある

アメリカの元ヘビー級チャンピオン、モハメッド・アリは、少年の頃、自分の手のひらを眺めては、「この手の中に何かあるはずだ」と思っていたという話を聞いたことがあります。不良少年だった彼は、そうやって世界チャンピオンになっていったのです。

成功する人とそうでない人の差は、このように、自分を信じることができるかどうかの差なのです。いわば自分を肯定的に認められるかどうかです。

ノミは、ひと飛び何と一・五メートルという跳躍力があると聞きます。ですが、ノミを高さ二十センチの箱で飼っていると、やがて二十センチの高さしか飛べなくなります。

一・五メートル飛べる力があるのに、二十センチの天井に何度も頭を打ちつけるうちに、それが限界だと思うのでしょう（正しくは条件づけの結果です）。

ノミですら、こうです。

ましてや人間が、「自分はここが限界」と思えば、そこが限界になります。限界は能力によるのではなく、心によるのです。

私は企業研修で、研修生に「だめだ」「できない」「ムリだ」は言わないようにという約束をしてもらいます。

「だめだ」「できない」「ムリだ」という言葉は、自分で自分の限界をつくる言葉です。できるものもできなくなってしまいます。使ってはいけません。

現実には、本当にだめなこと、できないこと、ムリなことでも、

「だめでもいいからやってみる」

「できなくてもいいからやってやる」

「ムリでもいいからやってやる」

と考えてください。

自分にとって価値のあること、意味のあることなら、ものごとを肯定的にとらえるべきです。かつ、それが、精神的なダメージからも早く回復するコツといえます。

●限界は自分がつくる●

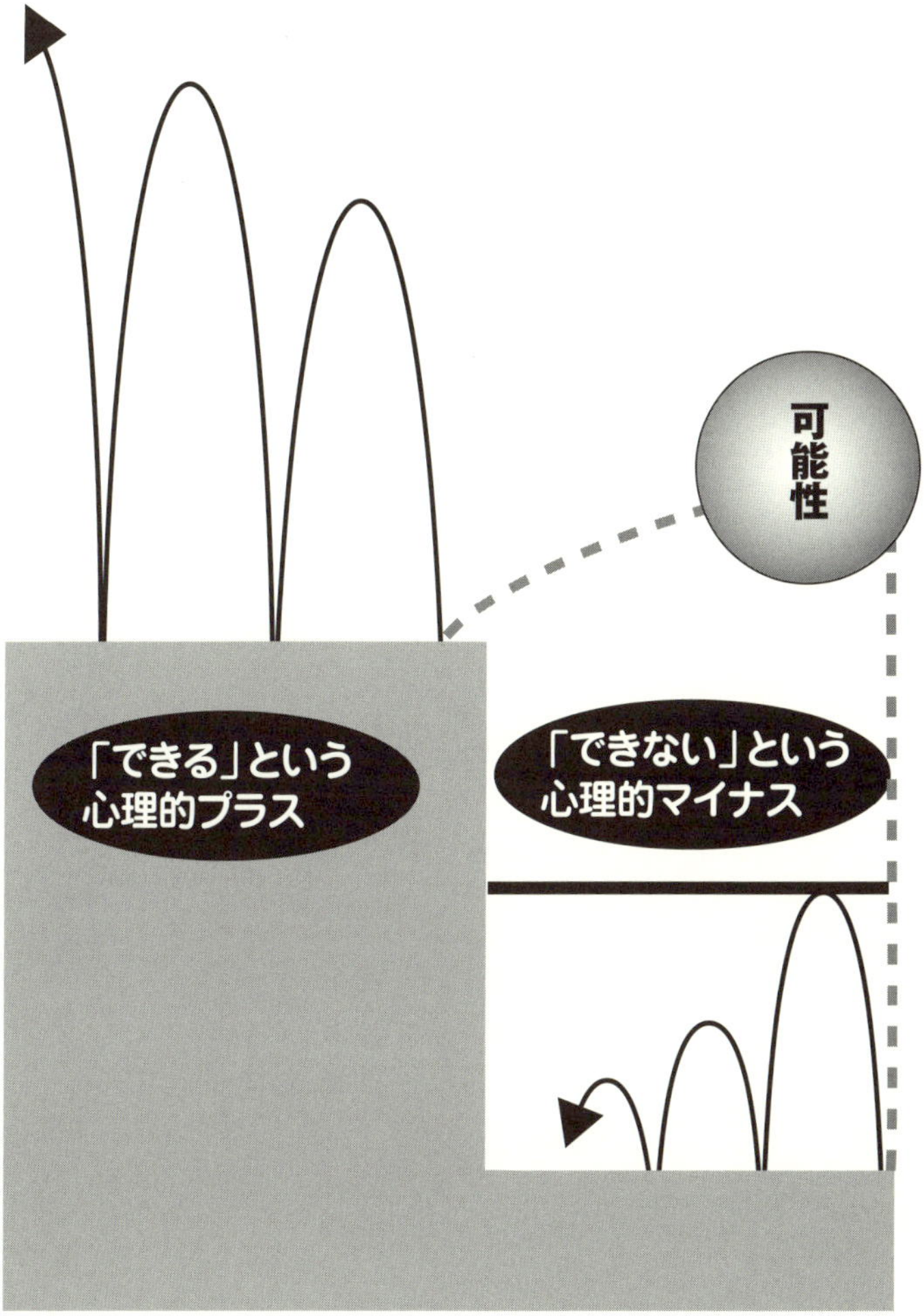
可能性
「できる」という
心理的プラス
「できない」という
心理的マイナス

これで「合格力」に絶対の自信がつく

◆限界は心がつくる

限界は心がつくるわけですが、一方、人間には「身のほど」というものがあります。
身のほどを知った願望はかないやすく、身のほど知らずの望みはかないにくいばかりか、人から嘲笑されかねません。

たとえば中年のオジさんである私が、一念発起して「アイドル歌手になって十代の女性を夢中にさせる」というのは、やはり、身のほどに合わない妄想だと言わざるを得ないでしょう。

しかし、時には、身のほどを無視したほうがよい場合があります。

たとえば、「一年で五十万円の貯金をしよう」とするなら、目標は「一年間に百万円の貯金をしよう」というように立てます。すると、簡単に五十万円は貯まるものです。

身のほどに合わせて、「五十万円を貯めよう。それが目標だ」とすると、意外と貯まりにくいものなのです。

つまり、ある目標を達成しようとするなら、やや高めの目標を達成するつもりでやるとちょうどよいところで帳尻が合うといえます。

私は、自信のない人に、この手をよく使います。「自信過剰になるくらいで、世の中、ちょうどよい」と言うのです。

「オレってすごい。天才かも」

「私はひょっとして驚異的な才能があるかもしれない」

「自分にできないものはないんだ」

などと、人から「身のほどを知れ」と怒られそうなくらいの自信過剰な面を持つとよいと思います。

よくないのは、「セルフディスカウント」です。自信のない人がさらに自分を値引きしてしまうと、本当に大安売りになってしまいます。逆に、自信のある人が自信過剰になると、鼻につきます。ですから、一流の人たちは、「みなさんのおかげで勝てました」という言いかたをするのです。

◆元気の出る「結果先どり」法

元気の出る方法に、「結果先どり法」があります。

現実にはまだ何も実現していない段階から、願望がかなったようなイメージを持ち、同時にそのように振る舞うことをいいます。

結果先どり法には、危険な面があります。相手が嫌っているのに、自分の勝手な思い込みでストーカー的な行為をしたりすることは、悪い面の典型的な例です。

しかし、プラスに使えば、すごい力を発揮します。

いつも心に達成した時の自分の姿を描いていますから、困難にあっても、ショックを受けても、挫折しても、めげることなく強く、たくましく生きていけるのです。

結果を先どりをするためには、次の四つの言葉が大切です。

①「すでに～するようになっている」

「すでに」は、運命の決定事項です。「自分は生まれた時から、すでにそう運命づけられている」というのは、ちょっと怖い感じもしますが、底知れぬ自信を養ってくれる言葉でもあります。

②「やがて〜するようになっている」

将来を予言する言葉で、勇気と希望を与えてくれます。

③「必ず〜するようになっている」

将来の確定を意味する言葉です。「やがて」よりも強い意志が見られます。ただ、遊びがなく窮屈な感じがして、私個人は、あまり好きではありません。

④「最後には〜するようになっている」

「最後」がいつのことかわかりませんが、いずれにしても、最終的には万事うまくいくという楽観が込められています。勇気と希望を持って将来を期待できるので、挫折した時などに、とくによい言葉です。

自分の好きな言葉を選んで、それを二十回は心の中でつぶやき、口にも出すようにしてください。意欲、やる気が出てきます。心身を回復させるのにも有効な言葉です。

世の中には、不信感でいっぱいの人がいます。人から肯定されてこなかった人に多く見られます。

そういう人は、人生に不安を感じます。しかし、人から認められてこなかったのですから、自分で自分を信じるのも困難です。

だから、私はカウンセリングに来られたかたで自己不信の強い人には、何度も、「だいじょうぶ。君には能力がある」などと、くり返し言うことにしています。自己不信がしみついているので、納得するまで根気よく同じことを言うのです。

こういう人は、自分の将来が不安です。これを「予期不安」といいます。予期不安は理屈を超えた感情ですから、自分では何ともしがたいのです。

したがって、不信感でいっぱいの人に、「結果先どり法」をやると、かえって不安を増してしまうことがあります。

「必ず〜するようになっている」

「信じよう。でも、そうならなかったらどうしよう」

となってしまうのです。

こういう人には、「結果先どり法」はマイナスです。「結果あと回し法」のほうがよいでしょう。

結果あと回し法とは、何のこともありません。「結果のことは考えるな」ということです。結果が不安になるのだったら、結果を考えないことが自然の道理というものです。

でも、結果を考えないとしたら、何を考えればよいのでしょう。

答えはシンプルです。

●思考回路をつくる●

① 自分の夢、願望を1つ書く（～したい）

「○○の試験に合格したい」というような書き方をして下さい

② 夢を目標にするために月日を書く

「○年○月○日、試験に合格する」という書き方をします

③ 目標を達成するために今やるべきことを書く

-
-
-
-

「○○をする」というように断定的に書く

④ 上記の書いたものに優先順位をつける

①
②
③
④

優先順位ごとに実行していく

それは「今」です。

将来に不安を感じる人は、とかく、「今」がおろそかになっています。「今」を考える力をつけ、「今を生き切る」生きかたをするのがよいのです。

そのためには、

「今、何をすべきか」

「今、できることは何か」

を考える習慣をつけることです。

「今日、何をすべきか」「今日できることは何か」と、広げて考えても結構です。

239ページに、「今をどう生きるか」「今できることは何か」を出せる思考回路のつくりかたを図示しておきますので、わかる範囲で記入してください。

大切なことは、あまりたくさん書かないことです。慣れるまでは、少しにしておいて、慣れてきたら増やしていけばよいのです。

そして、「実行できたら、自分をほめる」ことを忘れないでください。

いずれにしても、「今できることからやる」のは成功の一つの秘訣です。結果は、あとからついてくるのです。

◆さあ、これがスランプにならない自分です！

どんな人でもスランプはあります。その時に大切なことは「どう思うか、どう動くか」です。

調子のよい時は、善循環に入っているものです。よいことはよいことを呼び込み、それが続きます。ところが、何かのきっかけで調子を落とすと、逆に悪循環が始まります。悪いことが続いて、デフレスパイラルのようにスランプの深みにはまっていくのです。

そのスランプの悪循環から脱け出すには、どうしたらいいのでしょうか。

ここでもシンプルが大切です。答えは簡単です。

「同じ時間に、同じ場所で、同じことをする」ことです。

ある程度の英語力はあるのですが、壁にぶち当たってしまい、語学の勉強そのものまでやめる寸前だったMさんは、「同じ時間に、同じ場所で、同じことをする」という私のスランプ脱出法を聞いて、次のようにしたといいます。

「仕事上、同じ時間にというのは困難です。そこで、『同じ場所で、同じことをする』を実行しました。それが、英語ヒヤリングです。会社から帰ったら、とにかくまっすぐ自分の部屋に入って、三十分間ヒヤリングをする。そう決めたんです」と。

それを毎日続けていたら、会社に外国人が来た時、英語力のある人が多い中で、通訳が務まったのはMさんだけだったといいます。

「今まで、聞きとれないところがあると、つまらなくなり、テープを買っては積み、買っては積みで、英語の勉強が嫌になり、自信も失ないかけていました。それが、帰ったら、とにかく部屋で三十分間、わかってもわからなくても英語を聞くというシンプルな方法を、愚直にくり返すことで克服できたのです。人間は、わからないものですね」と、Mさんは、しみじみ言っていました。

「同じ時間に、同じ場所で、同じことをする」のが、ややむずかしく感じる人は、243ページの「創造的生活チェックシート」を利用してください。日々、目的意識、問題意識を持った生きかたができるようになるでしょう。

メモ用紙を用意し、今あなたがしようと思っていることを書き出します。

たとえば、次のようなことです。
・朝○時に起きる（例、朝六時に起床）
・朝食前に○○を三十分する（例、朝食前に英字新聞を読む）
・朝食は必ずとる

●創造的生活チェックシート●　（9月分）

課題 ＼ 日付	1	2	3	4	5	6	7	8	9	10	11	12	13	14	15
①朝6時起床															
②朝食前に英字新聞															
③朝食をとる															
④憲法を10条おぼえる															
⑤隙間時間に思い出す															
⑥試験問題を解く															

課題 ＼ 日付	16	17	18	19	20	21	22	23	24	25	26	27	28	29	30
①朝6時起床															
②朝食前に英字新聞															
③朝食をとる															
④憲法を10条おぼえる															
⑤隙間時間に思い出す															
⑥試験問題を解く															

●：実行した印　　□：空欄は実行していない

・通勤時に○○をする（例、車内で憲法の条文を十個おぼえる）
・隙間時間は○○をする（例、隙間時間におぼえた条文を思い出す）
・帰りの車内で○○をする（例、試験問題を解く）

このように、自分が「今したいこと」「今できること」「これからしよう」と思うことを全部、思いつくままにメモ用紙に書き出すのです。

書き出したあと、「創造的生活チェックシート」に書き込みます。

チェックシートの左端に課題を記入し、それを実行したかどうかを日々チェックするのです。できたら●印、できなかった場合は空欄にしておきます。

こうしてチェックしていくと、何ができて、何ができなかったかがわかりますので、それが励みにも、反省材料にもなり、かつ、漠然としていた問題点が明確になっていきます。

注意点が二つあります。

①あくまで百点を目ざすこと

できれば、チェック欄が●印でいっぱいになるようにしましょう。それを目標にして、結果的には七～八割だったとしても、これはこれでオーケーとしましょう。

②継続すること

シンプルなことは、一面、単調でもあります。自分で決めたことをただ実行する、継続する単調さは、時にマンネリを招くと思うかもしれません。

しかし、そうではありません。

課題を最低一カ月は続けるわけですが、続けてみて、もうその課題が習慣になってしまえば、課題を変えればいいのです。ここに変化が生まれます。

一つの習慣をつけるには三カ月かかりますが、とにかく一カ月続けば、三カ月まで続けることはほぼ可能ですから、まずは一カ月やり通すことを目ざしてください。

私の場合は、目標やチェックシートを机の前の壁に貼りつけて、毎日見えるようにしています。みなさんも同じようにしてもかまいませんし、手帳などにはさんでおくというのも一つの方法です。

大切なことは、いつも自分の心に刺激を与え続けることです。自分の心に火を燃やし続けることができるかどうかが人生成功へのカギになりますので、いつも目にふれるように工夫してみてください。

これを続けていくと、自分の将来が相当楽しみになっていきます。

おわりに

ちょうどアテネオリンピックの年に、この本ができ上がりました。

オリンピック選手たちの姿を見ると、人間の可能性はどこまであるのかと考えさせられます。メダルをとれた人もとれなかった人も自分の可能性を信じ、持てる力を発揮させようとする姿に、感動せずにはおられません。

私たちは、あのようなメダルはもらえません。ですが、「心のメダル」は受賞できます。自分で目標や課題を決め、一つでもクリアしたら、心のメダルを自分自身に与えてください。それはやがて、人生の金メダルになっていくことでしょう。

本書の執筆に当たり、企画から編集の細部にまで手腕を発揮していただいた担当編集者の吉田宏氏と、経済界出版販売部長の渡部周氏に、心より感謝申し上げます。

みなさんのご発展を切にお祈りいたします。ありがとうございました。

〈著者紹介〉
椋木修三（むくのき・おさみ）

1954年生まれ。中央大学中退。テレビ朝日『不思議どっとテレビ。これマジ!?』、TBS『どうぶつ奇想天外』などで「記憶の達人」として紹介された実践記憶の体得者。記憶術を「才能でなく訓練で」身につけただけではなく、速読術、自己暗示法、作詞作曲など多くの分野で能力を取得。講演、研修、執筆等で活躍中。本業は日本カウンセリング学会会員の心理カウンセラーで、イメージ療法を得意とする。

日本ブレインアップジム代表。東京カルチャーセンター主任講師。ほか多数のカルチャーセンターの講師や、企業研修の講師をつとめる。

著書に『記憶力30秒増強術』『1分間「成功暗示」術』（共に成美文庫）、『1日3分間記憶力再生法』（ベストセラーズ）などがある。

【図解】超高速勉強法

2004年11月29日　初版第1刷発行
2013年11月22日　初版第17刷発行

著　者　椋　木　修　三
発行人　佐　藤　有　美
編集人　渡　部　　　周

ISBN978-4-7667-8319-3

発行所　株式会社　経　済　界
〒105-0001　東京都港区虎ノ門1-17-1
出版局　出版編集部☎03（3503）1213
出版営業部☎03（3503）1212
振替00130－8－160266

組版／㈲後楽舎
印刷／株式会社　光邦